D0257160

LA PROTECTRICE

DANS LA MÊME SÉRIE

1. La révélation
2. L'intrus
3. Pouvoirs secrets
4. La protectrice
5. L'étrangère (décembre 2001)

ROSWELL

MELINDA METZ

LA PROTECTRICE

FLEUVE NOIR

Titre original :
The Watcher

Traduit de l'américain par
Anne-Virginie Tarall

Série proposée par Patrice Duvic

ISBN 2-265-07055-6

CHAPITRE PREMIER

Max Evans jeta un coup d'œil à son reflet dans le miroir de la salle de bains.

— Hum, pas terrible…

Il avait les joues creuses. Et des valises sous les yeux. Plus la peau diaphane et le teint grisâtre. Se découvrant un bouton dans le cou, il en fut presque… réconforté. Cela lui donna le sentiment d'être jeune.

Max monta sur le pèse-personne. Un kilo et demi de moins que la veille.

La panique le submergea. Il perdit l'équilibre, tomba de la balance et réussit in extremis à se réceptionner sur la cuvette des toilettes. Il se prit la tête dans les mains.

Que m'arrive-t-il ? Pourquoi suis-je aussi faible ?

Du salon, en bas, lui parvint un gloussement.

Bon sang… Il faut que j'aille travailler.

— Euh… Je pars pour le musée ! cria-t-il.

Il descendit en prenant soin de s'éclaircir bruyamment la gorge.

— Et pour sortir de la maison, il faut que je passe par le salon. J'approche donc du salon…

Max franchit le seuil.

Oh, non…

Sa sœur, Isabel, et son petit ami, Alex Manes, toujours enlacés, n'avaient visiblement pas capté le message. Max passa devant le couple à toute vitesse, mais il en vit quand même plus qu'il n'aurait voulu. Un baiser fougueux… Des boutons défaits… Des mains baladeuses…

Ce n'était pas le genre de scène qu'appréciait un garçon quand il s'agissait de sa sœur. De sa *petite* sœur. D'accord, elle était en classe de première au lycée. Mais quand même…

Max sortit en claquant la porte et s'engouffra dans sa Jeep, soulagé de quitter les lieux. Il mit le contact et démarra.

Il tourna à gauche, en direction du centre-ville, alluma la radio et mit ses lunettes de soleil pour se protéger de la luminosité de fin d'après-midi. L'air frais qui entrait par la vitre ouverte faisait voleter ses courts cheveux blonds, lui dégageant le front. Il commençait à se faire l'effet d'une icône publicitaire pour Jeep. Le genre : « *Dans ma Jeep, je suis le roi du monde* ».

Ça faisait longtemps qu'il ne s'était plus senti aussi bien.

Mais tout allait pour le mieux, non ? Isabel sortait avec un garçon que Max aimait bien et qui la traitait comme elle le méritait. D'accord, il aurait préféré qu'ils trouvent un endroit plus intime que le salon pour se faire des câlins, mais il approuvait leur relation.

Il sourit.

Isabel serait furieuse si elle avait idée du tour que prenaient ses pensées en cet instant. Même s'il était son frère, ça ne lui donnait pas le droit d'apposer le label « *approuvé* » sur les types qu'elle fréquentait. On ne parlait pas de steaks hachés et elle n'était pas un pain à hamburger ! Elle ajouterait sans doute que ce n'était pas ses oignons.

Pourtant, si.

Dès qu'il s'agissait des membres de leur groupe, Max était concerné. Il était *connecté* à chacun d'eux. Et vice versa. Quelquefois, leurs auras se mêlaient les unes aux autres pour n'en former qu'une, multicolore. Même quand ils étaient séparés, il éprouvait au fond de lui un profond sentiment d'unité.

Max ne se serait pas senti aussi bien si un des membres du groupe était allé mal.

Isabel et Alex étaient certainement heureux. Peut-être même trop à son goût. Il avait presque peur à l'idée qu'ils puissent être plus heureux encore… Ils pourraient contrevenir à une loi naturelle.

Maria DeLuca allait bien, elle aussi. Pourtant, elle avait failli mourir moins d'une semaine auparavant. La jeune fille avait trouvé un anneau serti une des Pierres de Minuit. Le joyau lui avait conféré des pouvoirs psis. Il suffisait que Maria pense à une personne et touche un objet lui appartenant pour la voir en pensée. Mais des chasseurs de primes originaires de la planète de Max recherchaient la pierre volée. Ils avaient attaqué Maria, manquant la tuer.

Michael Guerin, le meilleur ami de Max, avait affronté les chasseurs de primes et sauvé la jeune fille. À présent, le seul souci de Michael, c'était de se faire à son nouveau foyer d'accueil. Ses parents adoptifs, les Pascal, avaient établi toute une liste de règles. Cela dit, c'étaient de bons parents. Qui sait, cela ferait peut-être la différence.

Quant à Liz…

Admets-le, pensa-t-il. *Voilà pourquoi tu te sens aussi bien. Liz Ortecho ne te hait plus !*

Max avait failli tout ficher en l'air avec Liz. Il l'avait embrassée pour lui dire ensuite qu'ils devraient rester de simples amis. Rien de plus. Puis il l'avait de nouveau embrassée et avait répété qu'ils ne pouvaient pas être ensemble. Et quand Liz était sortie avec un autre, il l'avait suivie, jouant les ex-psychotiques et obsédés…

Bref, il ne s'était pas du tout conduit en ami.

Et cela avait rendu Liz folle de rage. À juste titre.

Mais quand Maria avait été blessée, ils s'étaient tous réunis autour d'elle afin de la tirer d'affaire… Ensuite, la jeune fille avait accepté de tirer un trait sur les folies de Max. Ils étaient redevenus amis.

De simples amis… Mais des amis quand même !

La radio diffusait une chanson geignarde, comme les affectionnaient les filles, qui parlait des peines de cœur.

Ce n'était pas du tout le genre de chose qu'avait

envie d'entendre Max ! Il changea vivement de station.

Les haut-parleurs crachèrent un solo de batterie. Le son était beaucoup trop fort. Il eut l'impression d'avoir l'oreille collée à un immense ampli de concert.

Max chercha le bouton du volume et le tourna vers la gauche. Loin de baisser, le son augmenta. Il lui sembla que les baguettes frappaient son cerveau, vrillant sa matière grise.

Il se gara le long du trottoir et coupa le moteur avant d'éteindre la radio. Le solo de batterie se tut. Mais il y avait toujours du bruit. Tellement ! Un véhicule klaxonna en passant. Max se jeta en arrière, se cognant à l'appui-tête, et serra les dents. Le son strident lui avait percé les tympans aussi sûrement qu'une aiguille.

Le jeune homme se boucha les oreilles, se retenant de ne pas hurler. Son propre cri de douleur serait une torture supplémentaire…

Calé sur son siège, les yeux fermés, il posa le front sur le volant. Le crissement des roues des voitures sur la chaussée, les trilles de l'oiseau qui s'époumonait dans un buisson proche et les gloussements de deux gamines qui passaient lui parvenaient toujours. Même l'électricité qui bourdonnait dans les lignes à haute tension faisait un boucan infernal. Ainsi que les feuilles des arbres qui bruissaient. Et le sang qui, tel un torrent furieux, coulait dans ses veines…

Il ne pouvait plus le supporter.

Aussi soudainement qu'il avait commencé, le phénomène cessa. Comme si une main géante avait tourné le bouton du volume cosmique…

À travers ses paumes, qu'il pressait sur ses oreilles, Max ne percevait plus que des sons étouffés. Il rouvrit les yeux. Une voiture le dépassa. C'était tout juste s'il pouvait l'entendre.

Rassemblant son courage, il éloigna les mains de ses tympans. Et il capta des sons… normaux. Certains étaient plus forts que d'autres, mais ils n'entraînaient plus de douleur.

Que m'arrive-t-il ?

Max regarda autour de lui. À quelques maisons de là, une femme bêchait son jardin. Elle semblait absorbée par sa tâche. D'évidence, elle n'avait aucune idée de ce qu'il venait de vivre.

Et pourquoi en aurait-il été autrement ? La radio de Max avait peut-être une panne. Ou la station elle-même avait diffusé de la musique beaucoup trop fort et tout serait maintenant rentré dans l'ordre…

D'accord, mais cela n'expliquait pas les bruits assourdissants générés par les voitures, les oiseaux et les lignes électriques. Non, quoi qu'il ait pu se passer, cela s'était produit en lui.

Les mains posées sur le volant, Max laissa échapper un petit soupir. Il attendit quelques minutes, histoire de s'assurer que tout était vraiment redevenu normal, puis il reprit sa route.

Tout en conduisant, il sentit la tension lui nouer la nuque, les épaules et les bras. Ses doigts s'agrippaient au volant comme si sa vie en dépendait, les phalanges blanchies comme par une étreinte mortelle.

Détends-toi ! Inspire profondément et laisse-toi aller.

Son corps refusa d'obéir. Tétanisé, il guettait le prochain assaut.

Mais rien ne se produisit.

Max arriva au musée de l'OVNI sans que l'expérience se reproduise.

Faut-il que j'en touche un mot à Ray ? se demanda-t-il en se garant. *Ça avait peut-être un rapport avec mes origines extraterrestres...*

Mais Ray Iburg n'aimait pas qu'on le questionne à ce sujet. Même si Isabel, Michael et Max venaient du même monde que lui, la Terre était désormais leur seule patrie. Pourquoi gâcher sa vie à chercher un ailleurs devenu inaccessible ?

Bien sûr, Max soupçonnait Ray de passer beaucoup de temps à penser à son vrai chez lui...

Quand le jeune homme avait découvert que son patron aussi était un extraterrestre, il s'était représenté une situation bien différente de la réalité. Il n'en avait jamais parlé à personne, mais il avait cru que Ray et lui auraient une relation similaire à celle de Yoda et de Luke Skywalker. Ray lui dispenserait sa sagesse, l'aiderait à mieux appréhender ses pouvoirs, à les utiliser, et lui parlerait de ses parents...

D'accord, c'était idiot. Mais c'était ce qu'il avait imaginé.

Les choses ne s'étaient pas passées ainsi...

Ray avait dit à Michael et Max que leurs parents étaient morts. Il leur avait montré une reconstitution holographique du vaisseau stellaire au moment du crash dans le désert, près de Roswell, en 1947. À l'en croire, il avait emporté leurs capsules d'incubation et les avait cachées dans une grotte, pour les mettre en sécurité le temps qu'ils atteignent leur maturité. Il leur avait révélé certains de leurs pouvoirs afin de leur permettre d'échapper au shérif Valenti. Et quand des chasseurs de primes extraterrestres avaient voulu tuer Maria, il les avait aidés sans restriction.

C'était tout.

Ray était heureux que Max travaille au musée avec lui, mais il souhaitait avant tout qu'ils se comportent comme des humains ordinaires.

Max attendait bien d'autres choses de Ray. Il aurait voulu qu'il consente à lui apprendre l'histoire de leur planète. Ray était le seul à pouvoir dire si l'expérience de la « vague sonique » était liée aux origines de Max. Encore faudrait-il qu'il accepte de parler…

Le jeune homme sortit de la Jeep et traversa le parking. Il ôta ses lunettes de soleil, qu'il fixa au col de son T-shirt.

— J'ai trouvé une peinture géniale des Foo Fighters, annonça Ray au moment où Max franchissait la porte. Viens, je vais te montrer.

Il gagna le fond du musée sans attendre la réponse de son jeune employé.

— J'ignorais que les Foo Fighters avaient un lien

quelconque avec les OVNI, fit Max, qui lui avait emboîté le pas.

— Ne parle pas si fort ! dit Ray.

Il jeta un coup d'œil alentour, s'assurant que les touristes n'avaient rien remarqué. Ils continuaient d'examiner les T-shirts, à la boutique, comme si de rien n'était.

— Les gens paient pour voir étaler sous leurs yeux leurs théories loufoques ! À mon avis, il s'agit d'une légende urbaine déformée ; l'altération date de la Seconde Guerre mondiale.

— Attendez ! Je parlais du groupe de rock… Et vous ?

Ray tourna et se campa devant une grande peinture à l'huile. Elle représentait un vieil avion poursuivi par… des boules de feu vert et orange.

— Le groupe de rock tire son nom de ces « Foo Fighters », expliqua-t-il. C'est celui qu'on a donné aux boules de feu et aux disques argentés qui semblaient suivre les avions et les navires, en Europe et en Asie, lors de la Seconde Guerre mondiale. Les spécialistes des extraterrestres pensent qu'il s'agissait d'OVNI.

— Si on te pose la question, mon garçon, réponds que tu crois à fond à cette histoire. Compris ?

— Je vis pour mentir au public, assura le jeune homme.

C'était le bon moment pour parler à Ray de ce qui lui était arrivé.

— Je crois que ce tableau est un peu de travers.

Heureusement que je n'ai pas rangé l'échelle ! s'exclama Ray.

— Je m'en occupe.

Max s'empressa de monter. Il rajusta la toile d'un centimètre.

— C'est mieux comme ça ?

Le tableau était si grand qu'il occupait presque entièrement son champ de vision. Les boules de feu vert et orange semblaient réelles tant leurs couleurs étaient intenses… Il avait l'impression qu'elles arrivaient sur lui ! Elles luisaient de tous leurs feux.

— Ray ? répéta-t-il. C'est droit ?

Max sentit sa langue et ses lèvres articuler. Mais aucun son ne sortit de sa bouche. Un silence surnaturel s'était abattu sur le musée.

— Ray ! cria-t-il.

Les muscles de sa gorge bougeaient sans qu'il émette un chuchotement.

Max voulut se retourner mais il fut incapable de détacher son regard des couleurs vives du tableau. Elles étaient si brillantes maintenant que les larmes lui montèrent aux paupières.

Détourne les yeux ! s'exhorta-t-il.

Mais les couleurs étaient si belles. Si fascinantes… Le vert et l'orange emplirent sa vision. C'était comme regarder le soleil en face. Impossible de détourner la tête.

Max eut l'impression que ses yeux étaient deux charbons ardents enfoncés dans son crâne. Les boules de feu explosèrent dans son champ de vision.

Puis une vague de vertige le saisit. Le monde

devint noir. Il ne sentait plus le barreau de l'échelle sous ses pieds.

Il tombait…

Max savait qu'il n'était pas à plus d'un mètre cinquante du sol. Pourtant il sombrait dans le néant… Il tourbillonnait dans le vide infini.

La sensation cessa brutalement.

Sous son dos, il sentit le sol carrelé du musée. Il entendit Ray l'appeler.

Et il entrouvrit les yeux.

Des taches de couleur explosaient encore devant ses prunelles, mais aucune n'égalait l'effet produit par le vert et l'orange de la peinture.

Il s'assit en secouant la tête.

— Ça va ? s'inquiéta Ray. Que s'est-il passé ?

Max se frotta le visage.

— J'avais espéré que tu pourrais me le dire…, marmonna-t-il.

Ray se tourna vers les touristes, qui s'étaient massés autour d'eux.

— Il va bien. Vous pouvez reprendre votre visite. Ne manquez pas l'exposition de photographies de cratères retrouvés dans des champs…

Il aida Max à se relever.

— Viens, petit. Je vais te donner à boire.

Ray le conduisit à la cafétéria du musée.

— Que veux-tu ? De l'eau ? Une limonade, peut-être ?

Max secoua la tête. Tout ce qu'il voulait, c'étaient des renseignements. Et vite.

— Rien, merci. Mais aidez-moi à comprendre ce

qui m'arrive ! J'étais debout sur l'échelle, tout était normal, quand soudain… le vert et l'orange du tableau sont devenus de plus en plus brillants… Au point qu'ils me brûlaient les yeux !

« Comme si j'étais devenu aveugle. Et sourd… Mais j'ai commencé par perdre l'ouïe. Puis j'ai eu l'impression de tomber du haut d'un gratte-ciel. Une éternité s'est écoulée avant que je ne touche le sol !

Dire tout ça à voix haute lui donna le sentiment d'être cinglé. Avait-il attrapé un virus… ?

Assis en face de lui, Ray le dévisagea.

— C'est la première fois ?

— En venant ici, il m'est arrivé un truc vraiment bizarre. D'un coup, les sons que je percevais sont devenus incroyablement forts ! J'ai cru que mes tympans allaient exploser. Puis ça s'est arrêté. Et tout est redevenu normal.

Le jeune homme baissa la voix pour ajouter :

— J'ai cru que ça avait peut-être un rapport avec mes origines. Mais ce n'est sans doute que…

— Et tu avais raison, le coupa Ray. As-tu eu des coups de fatigue vraiment importants ?

— Euh, je crois… Ça m'est arrivé une fois ou deux.

Maintenant qu'il y pensait, il en avait fait l'expérience plusieurs fois au cours des semaines passées.

L'air grave, Ray hocha la tête.

— Tu viens de me décrire le premier stade de l'*akino*.

— C'est quoi, au juste ?

Max lutta pour rester lucide. Quelque chose, dans le ton de Ray, faisait monter son inquiétude en flèche. L'aura de son patron, d'ordinaire striée de tourbillons bleu-vert, était envahie par un jaune malsain.

— Notre espèce possède une… conscience collective, expliqua Ray. Une sorte d'Internet psychique. Toutes les connaissances, les expériences personnelles et les émotions des individus y sont conservées. Quand un jeune atteint l'âge adulte, il ou elle peut se « connecter » à cette conscience. Et ce rite de passage, c'est l'*akino*.

« Les symptômes physiques qui t'assaillent, comme une fatigue anormale ou des explosions sensorielles, sont le signe indéniable qu'il est temps pour toi de te… *connecter*.

Max laissa échapper un soupir de soulagement.

— Alors, c'est une bonne chose ?

Et même une très bonne ! En tout cas, la perspective était plus que séduisante. Sans doute cette conscience collective lui donnerait-elle les réponses à toutes les questions qu'il se posait sur sa planète d'origine !

Max se détendit. Il n'était pas atteint d'une maladie extraterrestre honteuse ! Et Ray savait ce qui lui arrivait. Il l'aiderait à traverser la phase d'*akino*.

— C'est en effet une bonne chose et nous le fêtons dignement. Un peu comme une bar-mitsva ou un mariage chez les humains. Mais…

— Je sais, coupa Max. Je vis sur Terre. C'est

mon monde. Je ne devrais pas perdre mon temps à penser à une planète où je ne mettrai jamais les pieds…

— Ce n'est pas ce que j'allais dire ! se défendit Ray. Il n'y a pas de doute, tu dois te connecter à la conscience collective. Et le plus vite sera le mieux. Mais nous sommes si loin… Tu as besoin… des cristaux de communication. Or, ils sont à bord du vaisseau spatial.

— Quoi ? Mais il a disparu après le crash ! Nous ne savons pas où il est. Michael et moi avons passé des années à le chercher. En vain.

Ray tendit le bras et saisit la main de Max. C'était étrange. Ray n'affectionnait guère les contacts physiques. Le jeune homme se raidit. Son corps tout entier lui fit mal.

— Max, si tu ne te connectes pas à la conscience collective, l'avertit son patron et ami, tu mourras.

Il en eut le souffle coupé.

Non, ce n'était pas possible ! Quelques symptômes étranges ne pouvaient pas mener à une issue aussi radicale !

— Attendez ! J'ai vécu sur Terre toute ma vie. Vous n'avez pas idée de la façon dont cet environnement a pu transformer mon corps !

Il voulut se dégager, mais Ray le retint fermement.

— Tu as raison. J'ignore de quelle manière atteindre ta maturité sur ce monde a pu affecter ton métabolisme… Mais voilà ce que je sais : les expériences que tu m'as décrites – les sons douloureusement forts et les couleurs si vives qu'elles en deviennent aveuglantes – sont quasiment identiques à celles que j'ai vécues quand j'ai atteint l'âge de l'*akino*.

— Ça ne veut rien dire ! Et moi qui pensais que vous étiez un scientifique… Vous n'avez pas la moindre preuve de ce que vous affirmez !

Une fois de plus, Max essaya de se dégager. Cette fois, Ray le lâcha.

Le jeune homme croisa les bras. Il sentait encore dans sa chair le contact de Ray.

— Tu as peut-être raison…

Du bout de sa manche, il essuya la tache de café sur une des petites têtes d'extraterrestres qui décoraient la table.

— Mais au cas où tu aurais tort, je…

Max eut soudain le sentiment qu'il allait s'effondrer. Il sentit sa gorge se nouer et ses yeux s'embuer. Il suffirait d'un battement de cils pour que des larmes ruissellent sur ses joues…

Il bondit sur ses pieds, renversant sa chaise. Il la rattrapa avant qu'elle tombe, la remit debout d'un geste brusque. Puis il inspira profondément.

— Que voulez-vous que je fasse ? Je sais que vous ne me payez pas pour écouter pousser mes cheveux.

Ray eut un petit sourire… Parce que Max venait d'employer une de ses expressions favorites ou parce qu'il était surpris de ce changement radical de sujet ?

Le jeune homme n'aurait su le dire.

— J'aimerais que tu ailles dans la salle où sont entreposées les babioles que j'ai dénichées au fil des ans et que tu cherches d'autres choses sur les Foo Fighters.

— D'accord… Ray, si vous avez raison et si mon seul espoir est de me connecter à la conscience collective, combien de temps me reste-t-il ?

— C'est difficile à dire… Des mois, peut-être. Ou des jours.

CHAPITRE II

— Oh…, gémit Maria. Vivement l'heure de la fermeture !

Elle leva son pied gauche, enleva sa chaussure neuve, et examina une énorme ampoule…

— Encore cinq minutes, répondit sa meilleure amie, Liz. J'ignore pourquoi tu t'entêtes à porter ces chaussures pour venir travailler…

— Grâce à elles, expliqua Maria, j'ai presque une taille normale ! Tu ne peux pas savoir ce que c'est d'être petite. Les gens me considèrent comme une sorte de mutante, moitié fille, moitié chiot… Ils me tapotent sans arrêt la tête !

Maria aurait souhaité être plus grande. Mais pour être honnête, elle avait choisi ces chaussures pour plusieurs raisons. Si elles la grandissaient, elles lui faisaient aussi de très belles jambes… Il aurait fallu qu'elle passe sa vie dans un club de gym pour avoir des mollets comme ceux que lui donnait sa nouvelle acquisition.

Le père de Liz avait fini par céder et acheter des uniformes pour les serveuses du *Crashdown Café*.

Sur la suggestion des filles, il avait choisi des vêtements s'inspirant de la ligne des personnages du film *Men in Black*. Maria avait préféré une jupe noire au pantalon. Et avec ses chaussures neuves, eh bien... sans être aussi belle et sexy que Liz, elle y avait gagné de meilleurs pourboires et des regards admiratifs.

Hélas, pas ceux de Michael Guerin...

À propos, il ne s'était pas encore montré... Pourtant, il passait beaucoup de temps au restaurant. Mais il ne prenait jamais la peine de prévenir Maria de son arrivée. Ça lui aurait bien trop facilité les choses... Surtout pour ses pieds.

— Les gens ne te tapotent pas la tête parce que tu es petite ! protesta Liz. Tes cheveux sont très bouclés, et ils veulent savoir s'ils ont du ressort.

— Merci d'éclairer ma lanterne !

Maria aurait voulu jeter un regard incendiaire à son amie, mais elle éclata de rire.

— Je vais chercher les sucriers et tu les rempliras, dit Liz. Comme ça, tu resteras derrière le comptoir... et personne ne verra que tu es pieds nus !

Maria se débarrassa aussitôt des souliers.

Aaaah !

Agitant les orteils de ravissement, elle se baissait pour attraper le sucre quand les premières notes de *Rencontres du troisième type* retentirent.

Le carillon de la porte !

Quelqu'un venait d'entrer. Michael... ? Sans prendre la peine de vérifier, Maria remit ses chaussures, commençant par la gauche. Les dents serrées, elle enfila la droite. Se tenant au comptoir, elle se redressa lentement et affecta un air naturel, genre : « *Ah bon, quelqu'un est entré ? Je n'ai pas entendu le carillon de la porte...* »

Son sourire s'effaça quand elle découvrit... Elsevan DuPris.

Cet homme lui donnait la chair de poule ! Difficile de l'accuser de ne pas être amical. Au contraire, il l'était un peu trop... Quant à son accent du Sud, eh bien, il était authentique... un peu trop !

Tout en lui sonnait faux.

Ça pouvait amener à s'interroger sur ses motivations... Quelle personne sensée se baladerait en costume blanc, avec des chaussures assorties, en agitant une canne et en imitant l'accent du Sud ?

DuPris était le propriétaire et l'éditeur du *Projecteur Astral*, un tabloïd consacré aux extraterrestres. Ceci expliquant peut-être cela, il fallait s'attendre à ce que l'homme soit légèrement excentrique. Mais celui-là poussait le bouchon un peu loin, côté excentricité !

— Je fais un sondage pour mon journal, annonça DuPris de sa voix traînante, et vous seriez bien aimable de m'apporter votre précieux témoignage. Quelqu'un qui peut faire rouler sa langue a au moins un extraterrestre parmi ses ancêtres. Ne croyez-vous pas qu'il serait très instructif de voir combien de nos chers concitoyens en sont capables ?

Liz posa sur le comptoir le plateau où elle avait

empilé les sucriers en forme de soucoupes volantes du *Crashdown Café*.

— Ça m'a l'air très intéressant ! Un de ces jours, j'adorerais consulter vos sources. Mais pour le moment, désolée, le restaurant est fermé, alors…

— Alors il est temps pour moi de vous souhaiter le bonsoir, jeunes dames, lança le journaliste. Je ferai en sorte de vous apporter… euh… les données scientifiques sur lesquelles est basée mon enquête.

Il les salua, soulevant son panama blanc, et sortit. Liz le suivit pour fermer à clé derrière lui.

Maria s'empressa de se déchausser.

Décidément, Liz savait comment remettre les gens à leur place ! Sans elle, Maria se serait fait avoir. Elle aurait accepté de se soumettre au test de DuPris, quitte à se sentir terriblement idiote. Puis elle se serait laissé entraîner dans un débat sans fin, sans parvenir à se débarrasser de l'importun…

Liz revint avec les bouteilles de ketchup qu'elle aligna sur le comptoir. Maria lui montra qu'elle savait rouler la langue.

— Tu as du sang extraterrestre ? plaisanta son amie. Ça alors ! Que me caches-tu encore ?

— Tu sais déjà que je suis un homme en réalité, répondit Maria, entrant dans son jeu.

La jeune fille prit la boîte de sucre et remplit les sucriers.

— Me cacher tes secrets serait une violation du code des meilleures amies. Or, je n'ai pas envie d'avoir à te traîner devant le comité d'éthique…

Liz entra dans la cuisine.

Maria lui jeta un regard par-dessus son épaule. Liz n'arrêtait pas de plaisanter sur le code de l'amitié… Maria n'était pas dupe : une certaine part de vérité se dissimulait derrière ces remarques apparemment anodines. La vérité, c'était que ces derniers temps, Maria ne s'était pas entièrement confiée à Liz.

Celle-ci revint vers le comptoir avec une énorme bouteille de ketchup en plastique et un entonnoir.

— D'accord, tu as gagné ! lâcha Maria. J'ai mis ces affreuses chaussures parce que j'espérais que Michael viendrait. Et, oui, j'éprouve pour lui un sentiment pathétique et désespéré.

Liz éclata de rire.

— Ça, je le savais déjà ! Je faisais plutôt allusion à l'épisode concernant tes pouvoirs psis. Comment as-tu pu me cacher ce qui t'arrivait ?

Elle dévissa le bouchon d'une des petites bouteilles de ketchup et fourra l'entonnoir dans le goulot.

Maria sentit le rouge lui monter aux joues.

— Quand j'y pense, je suis encore honteuse d'avoir cru que j'avais des pouvoirs psis. Quelle idiote je fais ! Si tu m'avais vue… J'étais si excitée à l'idée d'avoir un don qui sorte du commun !

« Mais tenir un objet et être capable de voir ce que faisait son propriétaire, c'était incroyable ! Et pouvoir guérir, comme avec Sassy ! Vraiment, une expérience extraordinaire.

— Comment aurais-tu pu te douter de ce qui se passait ? Comment aurais-tu pu te dire : « *Eh !*

Peut-être que l'anneau que j'ai trouvé au centre commercial est d'origine extraterrestre ! »

Liz posa la bouteille de ketchup et se tourna vers son amie, le regard soudain très sérieux.

— Ce que j'aimerais savoir, c'est pourquoi tu ne m'as rien dit.

Je l'ai vraiment blessée, pensa Maria. *Logique... Si Liz m'avait dissimulé un tel secret, j'en aurais été peinée, moi aussi.*

— Je n'avais pas l'intention de te tenir à l'écart. Essaie de me comprendre, ça n'allait pas fort pour toi... Tu étais bouleversée par ce qui se passait avec Max. Ce n'était jamais le bon moment pour te parler...

— Oh, Maria ! Peu importe ce qui arrive dans ma vie, je veux quand même être là pour toi ! Si tu m'en avais parlé, j'aurais peut-être pu...

— Arrête ! coupa Maria. Max et toi agissez toujours comme si vous étiez responsables des problèmes des autres. Mais c'est faux. Tu sais quoi ? Si je t'avais parlé de mes pouvoirs, tu m'aurais sans doute demandé d'arrêter mes expériences avant que...

— Avant que tu ne sois aux portes de la mort.

— Oui. Et c'est probablement pour ça que j'ai préféré tout garder pour moi. Je me disais que tu étais minée par la conduite de Max et que ce n'était pas le moment de t'embêter avec mes histoires... Mais au fond de moi, je savais que j'étais en train de jouer avec le feu. Difficile de l'ignorer – surtout avec les absences qui suivaient immanquablement l'exercice de mon prétendu pouvoir. Une fois, j'ai même saigné du nez...

Liz poussa un petit cri. Maria continua sa confession, décidée à aller jusqu'au bout.

— Mais je ne voulais pas renoncer à mon pouvoir avant d'avoir retrouvé le vaisseau spatial des parents de Michael.

— Alors, tout ça, tu l'as fait pour lui.

— Je m'étais fourrée dans la tête une idée stupide. Si je pouvais l'aider... (Elle secoua la tête.) Oublie ça. C'est trop bête.

— Non ! assura Liz. Bon, d'accord, ça l'est... Mais c'est le genre de bêtise qui peut se comprendre.

— Tu n'imagines pas à quel point je me sens mieux, dit Maria, croisant le regard de son amie. Vraiment ! C'est bon d'avoir enfin pu t'avouer la vérité.

— Donc, c'est bien d'accord : plus de secret entre nous.

— Plus de secret, promit Maria.

Elle souleva la partie mobile du comptoir pour passer, prit deux sucriers et gagna les tables les plus proches.

— Maria ? dit Liz.

La jeune fille fit volte-face. Elle aurait dû se douter que Liz ne la laisserait pas tranquille avant de lui avoir fait des remontrances sur son imprudence.

— Pourquoi n'avoues-tu pas à Michael ce que tu ressens pour lui ?

— Pourquoi ? répéta Maria, surprise.

Puis elle rougit de plus belle et serra les sucriers contre sa poitrine pour se donner contenance.

— Parce que si je lui disais, il pourrait en rire. Ou il se conduirait bizarrement avec moi. À moins qu'il ne décide tout simplement de m'éviter…

Sa voix vibrait d'émotions contenues. S'armant de courage, la jeune fille continua.

— Et il pourrait cesser de passer par ma fenêtre, le soir… Je ne crois pas que je le supporterais.

— Ou il pourrait te révéler qu'il ressent la même chose que toi, avança Liz.

CHAPITRE III

— Pour ma liste hebdomadaire, j'ai pensé à « *Ces Bill que j'aurais voulu être.* » Numéro un : Bill Gates. Numéro deux : Billy Baldwin. Numéro trois : Bill Clinton. Qu'en pensez-vous les amis ?

Même lieu qu'hier. Mêmes personnes, pensa Liz. Et ils avaient pratiquement la même conversation : Alex leur proposait des sujets de listes qu'il mettrait ensuite sur son site Internet.

La jeune fille sourit. Elle n'aurait pas voulu que les choses soient différentes.

— Et que penses-tu d'une liste de termes pouvant s'appliquer aux types qui passent trop de temps sur le Net ? suggéra Michael. Numéro un… « coincé ».

— Eh ! protesta Alex. Sais-tu combien de gens consultent mon site ? Mes listes commencent à être connues. Bientôt, elles deviendront un objet de culte !

— Numéro deux, suggéra Maria, « fanfaron ».

Liz constata qu'Isabel ne volait pas au secours de son petit ami.

Ce qu'elle éprouvait au sujet de la liaison de la

sœur de Max et d'Alex n'était pas très clair. Non qu'elle n'aimât pas Isabel. Au contraire… Plus elle passait de temps en sa compagnie, plus elle s'en sentait proche.

Mais Alex et Isabel… Un couple tout à fait improbable. Les regarder suffisait à constater qu'ils n'appartenaient pas au même univers.

Isabel était sexy. Le genre de fille qui ne passe jamais inaperçue. Où qu'elle aille, elle était jalousée ou désirée. En tout cas, elle ne laissait pas indifférent.

Quant à Alex…

— Et que penses-tu de « demeuré » ? continua Maria, impitoyable, avec un sourire narquois.

Alex n'était pas un demeuré. Même s'il ne sortait pas du lot, comme Isabel. Il fallait apprendre à le connaître avant de réaliser que c'était un type bien.

Alex avait un super sens de l'humour – du genre chien fou. Quand il croyait en quelque chose ou en quelqu'un, il ne revenait pas dessus. Et il avait de magnifiques yeux verts, des cheveux châtains aux superbes reflets cuivrés et un corps mince et musclé.

Liz comprenait sans peine qu'une fille puisse être séduite par Alex. Elle en connaissait plus d'une qui lui aurait volontiers mis le grappin dessus.

Mais Isabel ?

La jeune fille secoua la tête. Après tout, si ça fonctionnait entre eux, qu'avait-elle à y redire ?

— Liz ! Max ! dit Alex. Joignez-vous aux autres, moquez-vous de moi…

L'air stoïque, il se frappa la poitrine des deux poings.

— Je peux tout encaisser.

— Euh… « cyber-pudding » ? proposa Liz.

— Quelqu'un veut le reste de mon sandwich ? demanda Max.

— Moi ! crièrent Alex et Michael.

Liz jeta un coup d'œil inquisiteur à Max.

Une semaine plus tôt, il avait failli s'évanouir sous ses yeux. Sans raison apparente, sans signe avant-coureur !

Depuis, elle ne cessait de lui demander si tout allait bien. La réponse ne variait pas : il se sentait en pleine forme. Mais Liz ne croyait que ce qu'elle voyait. Or, Max était devenu… léthargique. Et il avait perdu l'appétit. Sa mine affreuse n'arrangeait rien.

Liz ne voulait pas que le drame vécu avec Maria se répète. Si quelque chose ne tournait pas rond chez Max, il fallait qu'elle le sache.

La sonnerie retentit.

Isabel et Maria se levèrent et se dirigèrent sans grand enthousiasme vers le cours de littérature. Michael et Alex prirent la direction opposée, laissant Liz seule en compagnie de Max.

— Prête pour une nouvelle aventure dans le monde merveilleux de la science ? lança-t-il en se levant.

Pour une oreille non avertie, sa voix aurait semblé tout à fait normale. À celle de Liz, elle sonna trop enjouée. Il en faisait trop, c'était évident.

— Toujours ! répondit la jeune fille.

Et elle entendit dans sa propre voix le même petit quelque chose qui disait : « *Tu vois, il n'y a rien d'anormal.* »

Tout cela était ridicule !

Elle était amoureuse de Max et savait pertinemment qu'il lui rendait ses sentiments. Devant l'insistance de Max, Liz avait cédé : ils resteraient de simples amis.

Mais ne pouvaient-ils plus se comporter normalement l'un envers l'autre ? C'était comme s'ils se sentaient obligés d'en faire… des tonnes.

Pourquoi ne lui disait-il pas la vérité ?

Devait-elle lui demander de cesser ce petit jeu et de lui avouer ce qui n'allait pas ?

Peut-être marchons-nous encore sur des œufs, pensa Liz alors qu'ils se dirigeaient vers le bâtiment principal. *Nous avons créé cette « simple amitié » sur les ruines de notre relation passée. Et nous savons à quel point elle est fragile. Il serait si facile de la détruire…*

Liz en tête, ils entrèrent dans le hall, puis prirent l'escalier, montant en silence. À l'étage des sciences, elle prit soudain conscience de la respiration haletante de son compagnon.

Un choc !

Une anomalie qu'il fallait ajouter à toutes celles qu'elle avait pu constater. Quelques marches n'auraient pas dû essouffler Max ! C'était un garçon en pleine forme…

Liz ralentit le pas, histoire de lui laisser reprendre son souffle.

— J'ai lu tout ce que j'ai déniché sur l'expérience que nous devons réaliser cet après-midi, dit-elle alors qu'ils entraient dans le labo de biologie, prenant leurs places habituelles. Tu sais, ça a l'air intéressant !

Max ne répondit pas.

Liz Ortecho, reine du bavardage insipide..., songea-t-elle tristement.

— Très bien, dit Mlle Hardy, le professeur. Nous avons du pain sur la planche. Commencez l'expérience sans attendre. Je vais passer parmi vous. Si vous avez des questions, n'hésitez pas.

— Je m'occupe du Bec Bunsen, dit Max.

— Et moi, je pèse nos échantillons, proposa Liz.

Enfin un moment où ils n'avaient pas à jouer la comédie. Ils prenaient leurs travaux pratiques de science très au sérieux. Et ils formaient une bonne équipe.

Liz sortit la balance du placard, sous la table. Le plateau était dégoûtant ; la jeune fille la posa à côté de l'évier, ouvrit le robinet, mouilla un bout d'essuie-tout et frotta la surface crasseuse.

Ces scientifiques amateurs ne savent-ils pas qu'un plateau sale peut saboter leurs expériences ?

— Max ! cria Mlle Hardy, à côté d'une autre équipe. Cette flamme est trop vive.

Liz se tourna vers son partenaire. Mlle Hardy avait raison. La flamme du Bec Bunsen était trop haute.

Et l'index de Max était juste dessus !

Une odeur de viande carbonisée lui chatouilla les narines. La jeune fille sentit sa gorge se serrer. Que faisait-il ? Ne sentait-il pas qu'il était en train de se brûler ?

Liz tendit vivement la main pour couper l'arrivée de gaz. La flamme disparut.

— Ça va, Max ? Laisse-moi regarder ton doigt.

Elle voulut lui prendre la main.

— Ce n'est rien !

— Voyons, tu gardais ton index au milieu de la flamme sans réagir ! Et ta peau… Max, elle était en ébullition.

— Il faut que j'aille me changer, dit Isabel.

Mais elle ne s'écarta pas d'Alex. Ce qu'il faisait était bien trop bon pour avoir envie d'y mettre un terme. Sauf qu'il était appuyé contre elle et qu'une marche des gradins lui rentrait dans le creux des reins.

— Je peux te donner un coup de main, lui murmura Alex à l'oreille.

Son souffle chaud provoqua des petits frissons sur la peau de la jeune fille. Joignant le geste à la parole, il s'attaqua aux boutons de son chemisier.

Isabel lui saisit le poignet.

— Merci, mais je devrais pouvoir me débrouiller seule.

Derrière les gradins, personne ne surprendrait le couple. Mais on ne savait jamais…

Alex reboutonna lentement le chemisier de la

jeune fille, et écarta une mèche blonde qui s'était égarée sur son épaule. Il pouvait se montrer si tendre, parfois ! Isabel se sentit fondre...

— I-sa-bel ! appela Stacey Scheinin de sa voix haut perchée. Dépêche-toi de venir te changer ! Tu ne peux pas te permettre de manquer une minute d'entraînement. Nous allons regarder une vidéo de notre dernier spectacle avant de commencer. Ainsi, tu constateras par toi-même à quel point tu es mauvaise...

— Veux-tu que je la tue ? proposa Alex.

— Peut-être pour mon anniversaire, répondit Isabel.

Elle lui donna un rapide baiser.

— Ce soir, nous dînons chez moi !

— Comme si je pouvais l'oublier !

Oui, comment pourrait-elle oublier ? Elle avait passé la semaine à chercher une excuse pour annuler ce dîner.

Isabel avait croisé la mère d'Alex. Mme Manes lui avait semblé gentille. En revanche, son époux paraissait odieux. Il y aurait aussi ses deux frères, en permission. Alex n'en parlait jamais... Du coup, elle ne savait pas trop à quoi s'attendre.

— À plus ! lança-t-elle par-dessus son épaule.

Elle se dirigea vers les vestiaires. Sans hâte.

Stacey, qui lui tenait la porte, fronça les sourcils, un truc qu'elle devait juger intimidant. Isabel lui fit un petit sourire en passant devant elle.

— Votre attention, les filles ! cria Stacey en suivant Isabel dans le vestiaire où les pom-pom girls se changeaient. Isabel a besoin de notre aide. Il faudrait à son nouveau petit ami un changement radical de look. Vous savez de qui je parle… Avez-vous des suggestions ?

La jeune fille pensa rétorquer qu'elle se montrait simplement charitable envers un pauvre garçon… Après tout, Alex ne pouvait pas l'entendre. Il n'en saurait rien.

Mais elle se sentirait minable. Ça ne valait pas le coup.

— Oui, excellente idée ! dit une fille, dans l'autre rangée.

Encore une groupie de Stacey… Ces mijaurées-là imitaient son ton de voix affecté. De vrais moutons. Pathétique.

— Il ne semble pas très fortuné, si vous voulez mon avis, dit une autre. Avez-vous maté ses fringues ? Du bon marché ou je n'y connais rien !

Si Stacey sortait avec lui, vous le trouveriez toutes beau comme un dieu ! pensa Isabel.

Elle se laissa tomber sur le banc en bois en face de son casier, et composa la combinaison. La serrure refusa de coopérer. Elle réessaya. Rien… Elle se rendit compte qu'elle se trompait. Ce n'était pas le bon casier.

— Quoi d'autre ? demanda Stacey en sautillant sur la pointe des pieds. Il est irrécupérable, ce pauvre garçon. Allez, les filles ! Notre coéquipière a besoin de nous !

Tish Okabe s'assit à côté d'Isabel.

— Moi, je trouve Alex très mignon, lança-t-elle.

— Tu trouves tout le monde mignon, Tish, répondit une fille.

Isabel ouvrit le cadenas de son vestiaire et tira la porte d'un geste brusque.

Prendre la défense d'Alex était gentil de la part de Tish. Ç'aurait dû être le rôle d'Isabel... Mais elle ne savait pas quoi dire. Dès qu'elle ouvrirait la bouche, Stacey en profiterait pour déformer ses paroles et la tourner en ridicule.

Ignorer les sarcasmes était peut-être encore la meilleure riposte...

Oui, pensa Isabel. *Tu n'arrêtes pas de te le répéter. Mais tu pourrais aussi faire preuve de courage.*

— Que tu ne voies pas ce que je trouve à Alex ne me surprend guère, Stacey, dit Isabel. Tu es comme ceux qui préfèrent un hamburger à un filet mignon. Leur palais n'est pas assez sophistiqué pour apprécier la différence. Et toi... c'est pareil.

— Oh... N'est-ce pas charmant ? Écoutez-la prendre la défense de son petit ami !

Isabel se fit violence, refusant de céder à la tentation de frapper la snobinarde.

— Sais-tu qui je considère comme un filet mignon, Isabel ? lança Corrine Williams. Ton frère !

« J'organise une fête, vendredi. Dis à Max de venir. Et amène l'autre garçon avec qui vous êtes tout le temps... Michael Guerin, n'est-ce pas ?

— Oui, s'empressa d'ajouter Stacey, si tu parviens à faire venir ces deux-là, tu pourras amener Alex.

S'humectant un doigt, elle traça en l'air le geste universel : « *Un point pour moi !* »

Vas-y, ne te gêne pas..., pensa Isabel. *Rira bien qui rira la dernière, princesse des coups bas...*

Parce que tu n'as pas la moindre chance de mettre le grappin sur Max ou sur Michael.

Mais elle ne put s'empêcher de réprimer un petit pincement au cœur à l'idée qu'Alex n'avait pas la cote auprès des personnes les plus en vue du lycée.

CHAPITRE IV

— Je n'ai pas la moindre envie de devenir un calamar, dit Alex à son frère alors qu'ils mettaient la table.

— *Primo*, répondit Jesse, les Marines ne sont pas des calamars. Ce sont les types de la Navy. Des petits malins nous surnomment parfois le goulot de bouteille. Mais ne t'avise jamais de le répéter en présence d'un Marine… Tu prendrais une raclée mémorable.

Alex éclata de rire.

Jesse était le plus cool de ses grands frères. D'accord, il venait de lui répéter le fameux discours : « *Tu dois entrer dans l'armée* ». Mais au moins, il lui arrivait parfois de penser à autre chose. Au contraire de leur père. Ou de leur frère Harry, lui aussi de retour au bercail pour quelques jours.

Heureusement pour Alex, son troisième frère, Robert, n'avait pas eu de permission. Le jeune homme n'était pas certain de pouvoir résister sur quatre fronts à la fois. Il n'avait pas besoin d'un quatuor lui serinant qu'il devait entrer dans l'armée une fois son bac en poche. Résister à la pression de Jesse, d'Harry et de son père avait été assez périlleux et déplaisant. Et encore, il n'était pas au bout de ses peines…

— Devenir un Marine fait de toi un homme neuf, ajouta Jesse.

Bingo ! Il n'avait pas fini d'entendre leurs beaux discours.

— Comme si tu avais une nouvelle famille, continua son frère. Et une grande !

Génial…

Rien que d'y penser, il en frémissait d'avance.

Harry entra dans la salle à manger et se laissa tomber sur une chaise.

— Ah, les filles…, roucoula-t-il, savez-vous que vous faites du bon boulot avec cette table ?

— Merci, répondit Jesse. (Pince-sans-rire, il ajouta :) Nous t'avons mis un joli bol rouge dans la cuisine, sur le carrelage. Tu te sentiras plus à l'aise. Nous avons de la visite, ce soir, et puisque tu n'as pas réussi à maîtriser l'usage des couverts…

— De la visite ? demanda Harry. Oh, c'est vrai… La petite nana d'Alex.

Alex savait que ses frères s'attendaient à rencontrer une demeurée. Il lui tardait de voir la tête que ferait Harry quand il verrait Isabel…

Une réflexion machiste, d'accord ! Il en demandait pardon à toutes les déesses de la féminité. Mais l'idée de montrer à Harry, Jesse et à son père que le cadet des Manes jouait dans la cour des grands le remplissait d'aise…

Harry s'appuya au dossier de son siège qu'il inclina en arrière.

— Je viens d'avoir Alice Shaffer au téléphone, dit-il.

Alex posa la dernière fourchette en place.

— Qui ?

— La principale de ton lycée, précisa Harry. Tu ne lui as jamais donné le dossier d'inscription au programme ROTC. Tu n'en as même jamais fait mention devant elle.

Alex eut envie de flanquer un coup de pied dans la chaise de son frère, histoire de le mettre à son juste niveau. C'était l'obsession de leur père : qu'il y ait un programme militaire au lycée… Pourquoi fallait-il qu'Harry s'en mêle ?

— Tous les trois, nous avons pris rendez-vous avec elle demain, à quatre heures, continua Harry.

Il se tourna vers Jesse.

— Papa souhaite que tu nous accompagnes. Toi et moi, nous sommes de parfaits exemples de ce qu'un programme ROTC peut donner de meilleur. Mais tu as intérêt à ne pas la ramener, sinon tu risques de tout faire capoter.

— J'ai perdu le dossier de papa, dit Alex. J'ai demandé qu'on m'en envoie un autre. Inutile que j'aille voir la principale sans dossier d'inscription !

Une excuse minable. À peine meilleure que : « *Mon chien l'a mangé !* » Mais en l'absence de chien dans la maison, il fallait bien trouver autre chose…

— Ne t'inquiète pas, assura Harry. Papa m'a demandé d'en apporter un.

Oh, joie…

Jesse jeta à Alex un regard amusé.

— Tu ne croyais tout de même pas y échapper, pas vrai ?

— Non…, répondit Alex.

Sur ce coup-là, il avait fait son possible pour freiner l'enthousiasme paternel… Ce serait une préparation à la grande bataille finale… celle qu'il livrerait le jour où il avouerait enfin au major qu'il n'avait pas l'intention d'embrasser une carrière militaire.

Mais tiendrait-il vraiment le coup… ?

— Nous devrions réfléchir à ce que nous allons dire, suggéra Harry. La principale d'Alex n'avait pas l'air très emballée par le projet.

— Tu as la mémoire courte, fit Jesse. Tu viens de me dire de ne pas la ramener.

— C'est vrai. Alex, je veux tout savoir sur les clubs et les organisations du lycée. Ainsi, je…

La sonnette retentit.

— J'y vais ! cria Alex avant que son frère puisse ajouter un mot.

Il se précipita à la porte d'entrée, l'ouvrit toute grande… et un sourire s'épanouit sur ses lèvres.

Jamais il n'avait été plus heureux de voir Isabel.

— Tu es très belle, tu sais, dit-il à voix basse.

Il ne fallait pas que ses frères l'entendent. Ils se

tordraient de rire s'ils le surprenaient à débiter ce genre d'inepties.

Pourtant, c'était la vérité. Isabel était très belle… Comme toujours. Là, elle avait sa tenue de « dîner de famille » : une robe moulante brodée de roses. Et ses cheveux blonds tombaient en cascades sur ses épaules.

— Merci. Vas-tu te décider à me présenter à ta famille ?

Alex se retourna et vit que ses frères l'avaient suivi. Son père aussi était dans l'escalier. L'estomac du jeune homme se contracta. Son père avait toujours cet effet-là sur lui.

— Voici mon frère Jesse. Lui, c'est Harry. Et mes parents.

— Je suis Isabel Evans.

Elle leur serra la main.

Zut ! Il avait oublié la moitié des présentations ! Mais Isabel s'en était chargée à merveille. Elle était douée pour faire bonne impression sur les gens et les mettre à l'aise.

Quand elle s'en donnait la peine !

— Pourquoi restez-vous dans le couloir ? demanda la mère. Venez dans la salle à manger !

Ils ne se le firent pas dire deux fois.

Alex et Isabel s'installèrent sur le sofa des amoureux. D'habitude, il aurait enlacé la jeune fille. Devant sa famille, il ne s'en sentait pas le courage.

— Alors, Isabel…, fit Harry. Alex m'aide à soumettre un programme ROTC à votre principale. Avez-vous une suggestion ?

Quel lèche-cul !

Alex en était certain : Harry cherchait uniquement à se faire bien voir de leur père. À vingt-deux ans, il avait toujours besoin de l'approbation paternelle.

— Vous devriez peut-être commencer par expliquer que c'est une activité proche de celle des pom-pom girls, répondit Isabel. Stacey Scheinin, notre capitaine, a tout d'un sergent-instructeur. Sauf qu'elle a la voix de Minnie Mouse...

Alex s'attendit à une explosion. Il doutait que son père apprécie la comparaison... Le major se contenta de rire tandis qu'Isabel se lançait dans une imitation de Stacey et de certaines filles de l'équipe.

Sa mère et ses frères rirent aussi de bon cœur. Et les regards de Jesse, comme d'Harry, prouvaient clairement qu'ils la trouvaient sexy.

Mais Isabel était sa petite amie.

Pour une fois, Alex fut heureux de se sentir envié.

Max ramassa le briquet, le tournant et le retournant entre ses doigts. Il voyait le gaz à l'intérieur de la gaine en plastique vert transparent.

Il l'alluma et regarda fixement la flamme, repensant à celle du Bec Bunsen du TP de science, l'après-midi.

Elle l'avait hypnotisé. Aveuglé. Il n'avait pas pu en détourner le regard. Son champ de vision s'était réduit à un mur d'orange et de jaune chatoyants.

Le labo n'existait plus. Liz avait disparu. Et il s'était retrouvé encerclé par un feu d'une terrible beauté.

Liz disait qu'il avait un index dans la flamme… Il n'avait rien senti. Sinon que ses yeux lui sortaient des orbites pour se mêler à la fournaise…

Max reposa le briquet, alluma son portable et sélectionna le fichier « *engrais* ».

Une appellation assez anodine pour ne pas attirer l'attention… De temps en temps, Isabel, son père ou sa mère lui empruntaient son ordinateur. Un fichier appelé « *akino* » ou « mort » n'aurait pas manqué de les intriguer…

« Engrais », en revanche, ne donnerait envie à personne d'y jeter un coup d'œil. Et puis, dans son cas, c'était approprié… Il deviendrait un truc pour faire pousser les fleurs. De la nourriture pour asticots.

Tu es morbide !

Max tapa la date et fit une courte description de l'expérience du labo de science. Quand il aurait réuni assez de données, il les présenterait sous forme de tableau. Combien de fois avait-il eu l'impression de voir des couleurs intenses, d'entendre des sons assourdissants… d'éprouver des symptômes anormaux ?

Il voulait savoir à quelle vitesse progressait l'*akino*.

Considérer la chose comme un projet scientifique l'aidait à prendre du recul et à garder la tête froide. Il pouvait ainsi afficher un détachement clinique impersonnel. Dans ses notes, il figurait sous le nom de « patient X ».

Le patient X était devenu aveugle. Le patient X avait fait l'expérience d'un phénomène décrit comme « des baguettes de tambour lui vrillant le cerveau ».

Les pensées du patient X prenaient un tour morbide. Un témoin avait rapporté que la peau du patient était « entrée en ébullition » quand elle avait été soumise à la chaleur d'une flamme…

C'est Liz qui l'affirmait.

Il reprit le briquet.

D'un point de vue scientifique, ajouter une expérience de première main à ses notes serait judicieux.

De première main ! Elle est bien bonne !

Le patient X avait donc toujours le sens de l'humour…

Il ralluma le briquet, hésita, puis tint son doigt au-dessus de la flamme.

Il sentit la chaleur sans éprouver de douleur. Même lorsqu'une odeur de viande carbonisée lui agressa les narines, il dut constater qu'il n'avait pas mal.

Et le témoin n'avait pas menti. Sa peau était bien en ébullition.

Max retira son pouce de la pierre du briquet et la flamme s'éteignit. Il examina sa chair. Les bulles qui constellaient sa peau disparurent, laissant l'épiderme parfaitement intact. Pas la plus petite rougeur ou cloque… Il frotta son pouce sur le bureau. Rien. Il n'avait pas mal.

Fascinant !

Oui, le patient X était tout simplement fascinant.

Max entendit frapper deux coups rapides à la porte de sa chambre et se hâta d'éteindre son écran.

Isabel entra puis se laissa tomber sur son lit.

— Je n'ai pas perdu ma soirée ! jubila la jeune fille. Toute la famille d'Alex est tombée sous mon charme ! J'ai séduit la mère, les frères et même son cher papa…

— Euh, super ! répondit Max.

Dire ces deux mots lui avait demandé un gros effort.

Le patient X éprouve des difficultés relationnelles avec son entourage.

Il devrait le noter aussi.

— Dis-moi, tu n'aurais pas fait une de tes expériences de chimie, par hasard ? Ça sent mauvais. Tu sais pourtant qu'il faut descendre dans le garage ?

— Oui. J'ai oublié…

Il était temps de tout lui dire.

La veille, Max avait eu l'intention de parler de l'*akino* à Isabel, bien sûr, mais aussi à Michael, Liz, Maria et Alex. Puis il avait voulu le faire au déjeuner.

Il ne s'en était pas senti capable.

Comment leur avouer que Max, pas le patient X, allait mourir ? Et comment annoncer à sa sœur et à son meilleur ami qu'ils subiraient certainement le même sort, un jour ou l'autre ? Là, la distance clinique et l'objectivité scientifique en prenaient un bon coup !

Max ne pouvait pas affronter cette situation.

Peut-être n'aurait-il pas à le faire s'il retrouvait les cristaux à temps.

Le patient X aurait peut-être droit à une guérison miraculeuse.

Peut-être…

CHAPITRE V

Pourquoi n'avoues-tu pas à Michael ce que tu ressens pour lui ?

À entendre Liz, il n'y avait pas de quoi en faire un plat. Comme si sa meilleure amie avait classé le sujet dans la colonne des banalités du même style : « Pourquoi ne dis-tu pas à Michael que tu adores les chats ? Que tu aimes les films d'horreur ? Que tu raffoles du fromage blanc aux raisins secs ? »

Rien qu'à l'idée de faire ce terrible aveu à l'élu de son cœur, Maria se sentait affreusement nerveuse.

La jeune fille s'assit dans son lit et tâtonna sur sa table de nuit, à la recherche de son flacon d'huile essentielle d'eucalyptus. Le remède idéal en un moment pareil... Une promenade au milieu des arbres anciens et paisibles. Loin de Liz, de Michael et du monde entier.

Elle laissa tomber quelques gouttes d'huile sur son oreiller. Un effluve d'eucalyptus lui emplit les narines.

L'eucalyptus.

Une odeur liée à Michael…

Liz aurait dit que le geste de Maria était freudien. Elle y aurait vu un message de l'inconscient de la jeune fille la poussant à quitter sa chambre et à courir voir Michael pour lui révéler ses sentiments.

Mais Liz, cette mauvaise amie, donnait de mauvais conseils. Par exemple : « *Pourquoi n'avoues-tu pas à Michael ce que tu ressens pour lui ?* »

Maria prit le téléphone et sélectionna le premier numéro en mémoire.

Liz décrocha aussitôt.

— Je te déteste ! cria Maria.

— Maria ? marmonna Liz d'une voix ensommeillée.

La jeune fille jeta un coup d'œil à son réveil. Une heure et demie…

— Désolée, je ne m'étais pas aperçue qu'il était si tard…

— Mais il fallait que tu m'appelles pour me crier que tu me détestes, c'est ça ?

Liz semblait partagée entre l'amusement et l'irritation.

— Oui. Je te déteste ! Et c'est la vérité, tu peux me croire ! Comment as-tu pu me conseiller d'ouvrir mon cœur à Michael ?

Maria savait qu'elle parlait trop, mais c'était plus fort qu'elle.

— Que… t'a-t-il dit ? demanda Liz. A-t-il répondu qu'il ne t'aimait pas ? Je veux tout savoir !

— Il n'a rien dit, admit Maria.

— Quoi ? Il s'est contenté de te regarder ?

— Non, il n'a rien dit parce que je ne lui en ai pas parlé ! Je ne suis pas sûre de pouvoir.

— Bien sûr que si !

— Je te déteste ! Voilà pourquoi je te considère comme une très mauvaise amie. Une véritable amie m'écouterait parler de Michael une ou deux heures par jour sans jamais suggérer que je dois lui avouer mes sentiments… !

— Attends, pas si vite… Je prends des notes. « *Véritable amie égale fille sans opinion qui dit à Maria ce qu'elle souhaite entendre…* »

Maria soupira.

— Désolée. Je me conduis comme une cinglée. Retourne te coucher.

— Une seconde ! À ton avis, que pourrait-il arriver si tu avouais tout à Michael ?

Maria hésita.

— Parfois, je sens une sorte de noyau lumineux, au fond de moi, une bulle pleine de… ce que je ressens pour lui.

Maria se tut, ne sachant comment formuler sa pire crainte.

— Pleine d'amour, intervint Liz. Je suis sûre que c'est le mot que tu cherchais.

— Très bien. Pleine d'A-M-O-U-R. Mais là n'est pas la question. J'ai peur qu'en laissant remonter cette bulle à la surface, le résultat ne soit pas très joli… Je n'arrête pas de penser aux poissons qui vivent dans les profondeurs de l'océan. Quand ils se font attraper et que les pêcheurs les ramènent dans leurs filets… Boum ! Tout ce qu'il en reste, ce sont des tripes dans tous les coins. Ils explosent !

— Donc tu pourrais exploser, une chose physiologiquement impossible… D'accord, je vais encore passer pour une très mauvaise amie, mais… Michael pourrait bien ressentir la même chose pour toi.

Ces paroles ouvrirent des nouvelles perspectives à Maria. La petite bulle lumineuse sortit de sa cachette et éclata pour consteller le ciel d'étoiles…

— Eh bien, il m'a embrassée deux fois. Ce qui pourrait vouloir dire qu'il ressent en effet quelque chose pour moi…

— Des détails, je te prie, ordonna Liz.

— D'accord. Il m'a embrassée sur la bouche. Mais très rapidement. La première fois, c'était par gratitude. Je l'avais aidé à chercher le vaisseau de ses parents. Et la deuxième, c'était essentiellement parce qu'il avait peur. Il pensait que j'allais mourir.

« Donc, j'ignore si ça signifiait quelque chose… de plus.

La jeune fille s'emplit les poumons d'eucalyptus avant de continuer :

— Mais peut-être dois-je comprendre qu'il ne me considère pas comme une petite sœur… Enfin, une chose est sûre : ces baisers n'avaient rien de serments d'amour.

— Tu oublies un élément très important, fit Liz. Michael a failli être tué en essayant de te sauver.

— Mais il aurait pris les mêmes risques pour

n'importe quel membre du groupe ! rappela Maria. D'ailleurs, s'il m'aime, pourquoi n'est-il pas là, en ce moment ? Pourquoi ne me donne-t-il pas un vrai baiser, qui dure plus de deux secondes ?

— Il n'y a qu'un moyen de le savoir.

— Tu as raison. Au moins, j'aurai la réponse à mes questions… Je me lance, c'est décidé ! Si je réfléchis encore, je n'en aurai jamais le courage.

Maria raccrocha intempestivement avant d'écraser la touche bis. Son amie répondit dès la première sonnerie.

— Je voulais juste te dire que je ne te déteste pas vraiment.

Puis elle raccrocha de nouveau.

Elle repoussa les couvertures, se leva et, sur la pointe des pieds, alla se poster devant son placard.

Et maintenant, la grande question :

— Que vais-je mettre ? Qu'est-ce qui irait avec une explosion de tripes… ?

Elle laissa échapper un gémissement. Quelle frustration !

Elle choisit son jean préféré et un petit T-shirt vert foncé. Puis elle se glissa hors de chez elle.

Maria aurait aimé prendre la voiture, mais elle avait peur que le bruit du moteur ne réveille sa mère. Elle sortit sa bicyclette du garage et, au milieu de l'allée, hésita.

Non, plus question de reculer !

Maria enfourcha son vélo et partit. Au fond, c'était mieux que la voiture. Pédaler lui permettait d'évacuer sa tension nerveuse. Avec un peu de chance, elle aurait recouvré son calme en arrivant chez Michael.

La jeune fille redoubla d'ardeur.

Il ne lui fallut pas longtemps pour arriver chez les Pascal.

Elle descendit de bicyclette, la cala contre la haie qui bordait le jardin, puis gagna à pas de loup la porte qui donnait dans la cour et entra. Connaissant bien les lieux, elle n'eut aucun mal à repérer la fenêtre de Michael.

Entrouverte... Tout ce qui lui restait à faire, c'était de se glisser dans la chambre.

Tout ? Non, pas tout ! Ensuite, il faudrait bien qu'elle se décide à parler à Michael...

Maria leva la tête.

Les étoiles lui donneraient peut-être l'inspiration qui lui faisait défaut. Ou le courage de franchir les derniers mètres qui la séparaient de Michael...

Mais dans un ciel nuageux, il n'y avait pas d'étoiles.

Maria avait terriblement besoin de voir une malheureuse étoile avant de se jeter à l'eau.

La fenêtre s'ouvrit en grinçant.

— Alors, tu vas te décider à entrer ou tu préfères rester dehors ? murmura une voix.

Maria ne put étouffer un petit cri de surprise. Tournant la tête, elle aperçut Michael, qui lui souriait.

— J'arrive ! Enfin, si ça ne te cause pas d'ennui...

Michael tendit la main et l'aida à se hisser jusqu'à lui.

— Dylan est endormi, alors…

— Non, je ne dors pas ! fit Dylan, le frère adoptif de treize ans, en s'asseyant dans son lit. Salut, Maria !

— Salut…

Elle se sentit complètement idiote. Comment faire un discours romantique quand Dylan était à côté et les parents adoptifs de Michael dans une chambre, au bout du couloir ?

— Dylan, il reste un morceau de tarte dans le réfrigérateur, dit Michael à voix basse. Pourquoi ne vas-tu pas le manger ?

— Tu connais la règle : pas question de se goinfrer entre les repas ! protesta le gamin.

Sur un petit sourire narquois, il quitta néanmoins la pièce.

Michael s'assit.

Maria hésita. Devait-elle s'asseoir à côté de lui ou sur le lit de Dylan ?

Arrête tes stupidités !

Elle se laissa tomber près du jeune homme.

— Euh, comment se sont passés tes cours, aujourd'hui ? demanda-t-elle d'un trait, sans oser le regarder.

— Comment se sont passés mes cours ? répéta-t-il, surpris.

— J'aimerais savoir s'ils sont plus difficiles en terminale qu'en première ? Dois-je m'inquiéter pour l'an prochain ?

Oh, mon Dieu ! Que suis-je en train de lui raconter ?

Elle jeta un coup d'œil à Michael. Avait-il commencé à découper ses draps pour en faire une camisole de force ?

Non.

Maria remarqua soudain qu'il portait un boxer et un T-shirt…

Elle ne pouvait ignorer ce genre de détails… Comment arriverait-elle à se ressaisir alors qu'il était à moitié nu près d'elle ? Voilà qui n'apaiserait en rien sa nervosité.

Ce garçon est trop beau pour être vrai !

— M'aideras-tu à choisir mes options l'an prochain ? Après tout, tu as de l'expérience maintenant, n'est-ce pas ?

— Tu débarques ici en pleine nuit pour me demander si tu dois préférer le travail du bois à la chorale ? fit Michael, incrédule.

— Oui. Non ! Je ne sais plus…

Ah, si elle avait apporté son flacon d'huile essentielle de cèdre ! Elle avait tant besoin de sérénité…

Enfin, quelques profondes inspirations, histoire de se calmer, devraient donner le change…

Elle inspira un grand coup, puis se tourna vers Michael. Être assise là et parler au mur était parfaitement ridicule !

— En fait, non, dit-elle. Ce n'est pas pour ça que j'étais venue…

Elle progressait. Elle ne parlait plus au mur mais… à l'épaule du jeune homme…

Maria dut se faire violence pour croiser le regard de Michael.

— Je voulais te remercier de m'avoir sauvé la vie.

Au moins, elle avait ça sur le cœur depuis un bon moment. C'était toujours mieux que ces inepties sur la scolarité !

— J'ai cru que tu allais mourir, avoua Michael d'une voix rauque. J'étais terrifié.

L'instant suivant, il l'embrassa.

Et il n'y avait rien d'amical dans la pression de ses lèvres et dans les exigences de son étreinte. Il lui donna un baiser passionné. Personne n'avait jamais embrassé Maria avec cette fougue. Ce fut comme si le petit noyau lumineux qui vibrait au fond d'elle l'emplissait tout entière de chaleur et de lumière.

Une chaleur torride. Une lumière aveuglante. Renversant !

Michael s'écarta et regarda Maria comme s'il avait peine à croire ce qui venait de se passer.

— Moi aussi j'ai eu peur que tu meures, avoua-t-elle.

Passant les bras autour du cou de Michael, elle posa la tête sur son épaule. Sentait-il les tremblements qui l'agitaient ? Mesurait-il l'impact qu'avait eu ce baiser sur elle ? Est-ce qu'il se doutait qu'il venait de mettre son univers sens dessus dessous ?

— Si tu étais mort, ç'aurait été ma faute !

— Ne crois pas ça, murmura-t-il dans ses cheveux.

— Mais c'est la vérité ! J'aurais dû comprendre qu'une chose horrible allait se produire. Je n'aurais pas dû utiliser l'anneau. Mais je voulais tellement retrouver le vaisseau. Pour toi…

— Quoi ?

Michael s'écarta et la saisit par les épaules.

— Tu m'as laissé croire que ce n'était pas dangereux ! Tu me répétais de ne pas m'inquiéter !

— Je croyais… Je pensais pouvoir retrouver le vaisseau de tes parents. Je sais combien c'est important pour toi. Et je… euh…

— Mais tu as failli mourir ! Pourquoi as-tu fait ça, Maria ?

— C'est ce que j'essaie de te dire ! Parce que…

— Il n'y a pas de raison valable pour justifier tes actes ! Tu as mis ta vie en danger, bon sang ! C'est bien la chose la plus stupide que tu aies faite… !

La voix de Michael vibrait de colère.

Maria n'était pas préparée à ce genre de réaction. Qu'était-il arrivé à son plan – se glisser par la fenêtre, avouer ses sentiments à l'élu de son cœur et accepter les conséquences de ses actes ?

En cherchant des explications, elle se noyait dans un océan de remords. Elle n'avait pas les moyens d'affronter la fureur de Michael.

— Il… faut que j'y aille !

S'écartant vivement, elle se précipita vers la fenêtre. Michael n'essaya pas de la retenir. Elle passa maladroitement par la fenêtre et tomba dans le jardin.

Puis elle courut jusqu'à sa bicyclette, l'enfourcha et s'enfuit en pédalant à toute vitesse.

Le vent sécha les larmes qui sillonnaient ses joues.

Elle n'avait pas pu révéler à Michael pourquoi il était si important pour elle de retrouver le vaisseau spatial.

Pourtant, la réponse crevait les yeux : parce qu'elle l'aimait.

CHAPITRE VI

— C'est toi qui conduis, d'accord ? dit Max.

Il lança les clés à Michael.

Le jeune homme fit le tour de la Jeep et prit place au volant. C'était la première fois que Max le laissait conduire…

— Dis-moi, tu te sens bien ?

— Ouais, répondit Max. C'est juste que… Un peu de fatigue, c'est tout.

Michael coula un regard dubitatif à Max avant de mettre le contact.

— Où veux-tu chercher ?

Quelle situation étrange ! Voilà que les rôles étaient inversés…

D'habitude, Max aidait Michael à chercher le vaisseau spatial. Mais ce soir, Max voulait aller dans le désert. Et ce n'était même pas leur jour de sortie !

— Je ne sais pas… Essayons de trouver le rocher qu'a vu Maria quand elle a utilisé la Pierre de Minuit pour suivre Valenti. Tu sais, celui qui est en forme de poulet…

Maria.

La fureur submergea Michael quand il repensa à ce que la jeune fille avait fait. Se servir de la Pierre pour espionner Valenti était dangereux, elle le savait… mais ça ne l'avait pas arrêtée. Elle n'avait même pas attendu qu'il soit là pour s'assurer que tout se passerait bien.

Cette fille avait besoin d'un ange gardien en permanence !

— La première fois que Maria a utilisé la Pierre de Minuit, Valenti était chez lui. Puis elle a réessayé une heure plus tard. Alors, elle l'a vu passer devant un rocher en forme de poulet. On devrait prendre une direction au hasard et rouler pendant quarante-cinq minutes, puis chercher en décrivant un large cercle autour de la ville.

— À t'entendre, ça semble tellement facile…, dit Max.

Il laissa échapper un drôle de petit rire sifflant.

— Quelle direction préconises-tu ? demanda Michael.

— Je n'en ai pas la moindre idée.

Michael continua tout droit. Ils finiraient bien par atteindre le désert.

Il y avait un énorme inconvénient à ce long trajet en voiture : ça lui laissait tout le loisir de réfléchir ! Il n'arrêtait pas de repenser à la visite de Maria, la veille… Maintenant, il ne savait plus que croire.

— J'ai découvert une chose hallucinante, Max… Tu ne voudras pas me croire. Maria savait qu'elle courait un grave danger en filant Valenti avec la Pierre ! Et elle m'a menti en assurant qu'il n'y avait pas d'inquiétude à avoir ! Elle se comportait comme si je faisais une montagne de rien du tout…

— Hum, murmura Max.

— Quoi ? C'est tout ? fit Michael, incrédule. Tout ce que tu trouves à dire, c'est « *hum* » ? Maria n'est pas le genre de fille à mentir ! Elle était très excitée à l'idée d'avoir des pouvoirs psis. Mais de là à mentir…

Il secoua la tête.

— Je comprends, assura Max. Si Maria l'a fait, tu peux être sûr qu'elle avait une bonne raison.

— Sans doute. Elle est différente d'Isabel. Izzy ment parce que ça l'amuse. Une vraie petite chatte siamoise, beaucoup trop belle et jouant à la perfection de ses atouts pour mettre tout le monde à ses pieds !

— Si Isabel est une chatte siamoise, qu'est donc Maria ? demanda Max.

— Un chiot… Un bébé golden retriever, peut-être. Tout doré et le poil fou. L'incarnation de la gentillesse. Toujours prêt à se plier aux exigences des autres.

— Un conseil. Laisse tomber la comparaison, recommanda Max.

Il retourna à ses recherches, sondant le désert. Les yeux grands ouverts, il ne voulait rien laisser échapper.

Les pensées de Michael vagabondèrent de nouveau…

— Si je savais pourquoi elle a fait ça ! s'écria-t-il. Je ne comprends pas et ça me rend dingue !

Dans le silence qui suivit son éclat, Michael mesura son erreur : au contraire, il savait très bien pourquoi Maria s'était servie, au mépris du danger, des pouvoirs qu'elle avait cru posséder. Si elle avait dit la vérité, Michael aurait aussitôt mis un terme à l'aventure. Or, elle voulait retrouver le vaisseau.

« *Pour* toi », avait-elle affirmé.

Pour lui.

Cela voulait-il dire que Maria était… amoureuse de lui ?

Elle pouvait avoir agi par pure amitié, pour essayer de retrouver le vaisseau spatial qui avait amené sur Terre les parents d'un *copain*.

Non, ç'aurait été une réaction trop… gamine.

— Michael ! Ne vois-tu pas de rocher qui ressemble à un poulet ? demanda Max d'une voix tendue.

Cela fit revenir Michael au présent. Il ralentit et étudia ce que lui montrait son ami.

— Je ne crois pas… C'est un rocher tout bête. Il n'a pas la forme d'un poulet.

— Nous n'y arriverons jamais ! cria Max, désespéré.

— Peut-être… Mais au moins, grâce à Maria, nous savons que le vaisseau est toujours intact. Et qu'on le garde dans les parages. Nous sommes plus près de le retrouver que jamais !

— Tu as raison. Maintenant, il ne faudra plus que dix ou vingt ans pour le dénicher.

Les choses devaient s'être envenimées entre Max et Liz, pour que son ami soit dans un tel état ! Il entretenait visiblement des espoirs relevant de la fantaisie la plus pure.

Michael savait de quoi il retournait. Il en était passé par-là. En fait, il avait vécu toute sa vie dans cet état d'esprit. Petit, il avait passé des heures à rêver du vaisseau spatial qui lui permettrait de repartir chez lui avec Max et Isabel…

Mais ces derniers temps… réaliser ses rêves ne lui avait plus semblé aussi capital. Il savait, désormais, qu'il n'avait plus de famille sur leur planète d'origine. Personne n'attendait son retour. S'il quittait la Terre, nul ne l'accueillerait.

Et il laisserait derrière lui trop de choses auxquelles il commençait seulement à goûter…

Surtout, il ne reverrait plus Liz, Alex… Et Maria.

Que faire ? Depuis trop longtemps, il tournait et retournait cette question dans sa tête sans oser y répondre. Devait-il envisager une relation plus… romantique ?

Romantique… C'est ça. En clair, une relation charnelle.

Quand il avait commencé à fréquenter Maria, il la considérait comme une petite sœur. Même si la jeune fille avait l'âge d'Isabel, elle semblait plus jeune. Il imaginait mal Izzy en train de hurler devant un film d'horreur ringard ! Maria lui enfonçait les ongles dans le bras, se cachait les yeux et le suppliat de lui dire quand une scène effrayante finissait…

Il aimait ça… À la façon d'un grand frère.

Que se passerait-il la prochaine fois que Maria et

lui organiseraient une soirée films d'horreur ? Quand elle se jetterait dans ses bras, cela lui rappellerait-il le baiser qu'ils avaient échangé ?

Michael appuya sur l'accélérateur et la Jeep fila sur la nationale déserte. Il ne savait plus où il en était... Désormais, il ne pourrait plus regarder Maria comme une petite sœur.

— Dis-lui que tu es tombée amoureuse de lui en lisant ses listes, suggéra Maria.

Elle se penchait par-dessus l'épaule d'Isabel pendant que celle-ci tapait son message.

— Puis signe d'un nom comme « *Victoria, Maîtresse de la Nuit* »...

Maria se félicitait qu'Isabel les ait invitées, Liz et elle, à passer une soirée entre filles. Elle avait besoin de se changer les idées.

Rien ne pouvait détourner ses pensées de leur Michael. Mais trois pour cent de son cerveau s'intéressaient au message qu'Isabel écrivait à Alex. Impitoyables, les quatre-vingt-dix-sept pour cent restant lui rappelaient l'expression furibonde de Michael quand il lui avait demandé ce qui n'allait pas chez elle...

— Alex ne reconnaîtra-t-il pas ton pseudonyme ? demanda Liz.

— Non, c'est celui de ma mère, répondit la sœur de Max.

Maria gloussa.

— Et qu'arrivera-t-il si Alex répond ? Imagine

qu'il essaie d'avoir une relation amoureuse, via le Net, avec ta mère !

— Oh, c'est dégoûtant ! gémit Isabel. Mais je ne m'inquiète pas. Alex est trop dingue de moi…

— Rappelle-toi que Victoria porte des bonnets D, la taquina Liz. Et qu'elle a un assortiment de lingerie fine à motif léopard.

— Alors, Isabel, toujours aussi confiante ? demanda Liz.

Isabel cliqua sur « envoyer ».

— Alex est prisonnier du piège mortel de ma féminité, répondit-elle.

Maria et Liz se regardèrent et éclatèrent de rire.

— Ton quoi ? fit Liz.

— Tu as bien entendu, répondit Isabel. J'éteins l'ordinateur ou on continue à s'amuser ?

— Va sur la page d'accueil de Lucinda Baker, dit Liz. Je veux voir si elle a ajouté des commentaires.

— Comment ? demanda Isabel.

— Tu ne l'as jamais fait ? s'exclama Liz. (Elle tapa l'adresse.) C'est à se tordre de rire ! Elle commente la façon dont les garçons du lycée embrassent !

Même *Michael* ? se demanda Maria.

La jeune fille n'était pas sûre de vouloir lire une description des baisers de Michael… Et si elle découvrait qu'il embrassait les filles comme il l'avait embrassée la veille ? Elle ne supporterait pas d'apprendre que cet instant magique n'avait rien de spécial pour lui…

Y repenser était tout ce qui lui permettait de

continuer à avancer… D'accord, Michael avait paru écœuré par sa conduite. Et furieux contre elle.

Mais ce baiser Dieu ! Il lui redonnait tous les espoirs ! C'était de l'amour !

— Nous y voilà. Il te suffit de cliquer sur un nom pour avoir le commentaire de Lucinda.

Les yeux de Maria volèrent vers la lettre G. Michael Guerin n'y était pas. Cela au moins lui serait épargné…

Isabel fit défiler la liste.

— Tiens, Rick Surmacz. Intéressant.

— Et moi qui pensais que Maggie McMahon l'avait pris dans le piège mortel de sa féminité ! plaisanta Maria. Sinon comment pourrait-elle le convaincre de porter des vêtements assortis aux siens ?

Isabel cliqua sur « Rick ».

— *Je l'ai surnommé le « foreur »*, lut-elle à haute voix. *Il semble persuadé qu'un bon baiser nécessite de vous enfoncer profondément sa langue dans la gorge. Aucune finesse. Aucune classe. C'est un coup à vous étouffer. Littéralement.*

— *Aïe !* commenta Maria. Croyez-vous que Maggie ait vu ça ?

— Impossible, assura Liz. Si elle l'avait lu, le prochain vêtement qu'elle aurait choisi pour Rick aurait été un grand sac plastique noir.

— Essaie Craig Cachopo, proposa Maria, cherchant à détourner quatre pour cent de ses méninges de leur obsession. En sixième, Liz et moi avions le béguin pour lui. Ça a même failli gâcher notre amitié.

Isabel survola la liste.

— Il n'y est pas.

— Mais Max, oui ! s'écria Liz.

Elle prit la souris et cliqua sur le nom de son ex.

— *D'accord, Max ne devrait pas figurer sur ma liste, puisque je ne l'ai jamais embrassé*, lut la jeune fille.

La tension de Liz disparut à mesure que les mots défilaient.

— *Mais une fille a le droit de rêver, non ? Et un baiser de Max serait certainement digne d'une incursion au pays des songes... Ces garçons en apparence tranquilles peuvent vous surprendre. J'espère bientôt vous fournir des informations de première main sur le sujet.*

— Continue de rêver ! cracha Isabel.

Elle adressa un regard plein de compassion à Liz.

— Même s'il continue de te repousser, Max ne s'intéresse à personne d'autre que toi, tu sais.

— Je sais... Mais merci.

Maria ressentit comme une pointe de jalousie.

Isabel et Liz avaient la chance que des garçons soient fous d'elles. Max insistait pour que Liz et lui restent de simples amis. Mais elle savait que c'était uniquement pour la protéger...

— Max vous a-t-il semblé différent, ces temps-ci ? demanda Liz.

— Il paraît à côté de ses pompes, si c'est ce que tu veux dire, répondit Isabel.

Maria fronça les sourcils. Elle s'était tant concentrée sur Michael qu'elle en oubliait les autres.

— Il est plus calme que d'habitude. Il a l'air... préoccupé.

— Honnêtement, ajouta Isabel, je pense que c'est à cause de toi, Liz. Tu lui manques. Même si vous êtes souvent ensemble... Enfin, tu comprends.

— Oui.

— Si vous voulez savoir comment embrasse Craig Cachopo, annonça Isabel.

Elle devait estimer que Max n'était pas un sujet de conversation sain pour Liz.

— Ses baisers sont un peu trop mouillés. Il respire fort, ce qui déconcentre sa partenaire. Mais dans l'ensemble, ce n'est pas si mal.

— Sans blague ! s'écria Maria. Je ne savais pas que tu étais sortie avec lui.

— Je ne suis pas sortie avec lui. Une nuit, je lui ai rendu visite dans ses rêves. C'était quand... euh..., je faisais campagne pour être élue reine du bal de la rentrée.

Elle éteignit l'ordinateur.

— Tu t'es infiltrée dans les rêves des garçons et tu les as embrassés pour qu'ils votent pour toi ? demanda Liz, interloquée.

— Seulement quand ils étaient mignons, se défendit Isabel. Et Michael et Alex ont tout saboté ! Liz a gagné le concours.

Elle tira la langue.

Liz éclata de rire et la frappa avec son oreiller.

Maria était contente qu'Isabel ait perdu. Gagner dans ces conditions aurait été de la triche. Et Liz avait mérité d'être reine du bal. Elle était aussi belle qu'Isabel, bien que dans un style diamétralement opposé. Et tout aussi populaire !

— Dis-moi, comment sont les rêves des autres ? demanda Maria. Très révélateurs ? Connais-tu tous les petits secrets des habitants de Roswell ?

— Je pourrais vous montrer, proposa Isabel. Enfin, je pense en être capable… Si j'établis une connexion entre nous, nous pourrions nous promener ensemble dans les rêves. Qu'en dites-vous ?

— N'est-ce pas une violation de la vie privée ? s'inquiéta Liz.

— Tu as raison, répondit Isabel. Mais c'est justement pour ça que c'est drôle.

— Essayons, Liz ! dit Maria.

Liz avait raison. C'était une violation de la vie privée. Mais la proposition d'Isabel lui donnait une chance d'explorer l'inconscient de Michael…

Peut-être verrait-elle ce qu'il ressentait vraiment…

— Alors, vous voulez sonder les rêves de qui ? demanda Isabel.

— Mlle Hardy ? suggéra Liz.

— Les rêves d'un prof ? s'écria Maria. Ne serait-ce pas un peu… comment dire… dégoûtant ? Non, essayons plutôt avec quelqu'un que nous connaissons mieux.

Maria ne prononça pas le nom de Michael. Elle entendait s'y prendre en douceur. L'introduire dans la conversation… comme par hasard.

Bien sûr, elle avait raconté à Liz sa désastreuse visite à Michael, la veille. Mais elle ne voulait pas paraître désespérée à ce point. Même aux yeux de sa meilleure amie.

— Je sais ! s'écria Isabel. Allons dans le plan des orbes et vous en choisirez chacune un, au hasard. Ce sera une surprise !

Elle s'assit et fit signe à Liz et à Maria de l'imiter.

— Respirez lentement et profondément. Je m'occupe du reste.

Elle les prit par la main.

Un tourbillon de couleurs les enveloppa. Le violet profond de l'aura d'Isabel s'unit à l'ambre crémeux de celle de Liz et au bleu étincelant de celle de Maria.

L'instant suivant, un mélange d'odeurs emplit l'air. Maria les considérait comme leurs auras olfactives. Elle inspira à fond, savourant les senteurs distinctes de l'ylang-ylang de Liz, de la cannelle d'Isabel et de la rose qu'elle émettait, et du parfum composite ainsi généré.

— Fermez les yeux, dit Isabel.

Maria se retrouva au milieu de sphères aux couleurs chatoyantes qui tournoyaient autour d'elle et de ses amies. L'une d'elles lui caressa le visage, aussi douce qu'une bulle de savon. Elle émettait une note d'une pureté extraordinaire.

— Bienvenue au pays des rêves ! annonça Isabel. Un orbe se crée à l'instant où on commence à rêver. Choisissez-en un et je vous y ferai pénétrer.

Maria tendit l'oreille, essayant de retrouver la note qui la faisait douloureusement vibrer.

Il y en avait tellement ! Tous les orbes émettaient des sons magnifiques... Mais aucun n'était celui qu'elle voulait entendre.

Michael ne dort pas encore, comprit-elle.

Donc, son orbe de rêve n'existait pas.

— Choisis la première sphère, dit-elle à Liz.

— Celle-là, dit la jeune fille en montrant un orbe vert pâle.

Isabel jeta un coup d'œil à Liz.

— Bizarre. Je crois que tu viens de choisir l'orbe de ta mère. Je me suis assez promenée dans les rêves pour reconnaître ceux de la plupart des habitants de Roswell. J'en suis presque certaine : c'est ta mère. Tu veux en choisir un autre ?

Liz hésita, puis secoua la tête.

— Non.

Isabel tendit les bras et fredonna doucement. La sphère vert pâle approcha et vint tourbillonner entre ses mains. La jeune fille continua sa mélopée. La sphère grossit. Bientôt, elle fut aussi haute que les jeunes filles.

— Si tu ne veux pas que ta mère te voie, regardons de l'extérieur, dit Isabel. Si nous entrons dans l'orbe, nous ferons partie de son rêve...

— Restons en dehors, répondit Liz.

Elle regarda à travers la paroi transparente. Maria la rejoignit.

Mme Ortecho se promenait sur les bords d'un lac. Près d'un arbre, un œuf tomba d'un nid et se brisa à ses pieds. Du sang gicla…

Liz gémit.

— Tu n'es pas obligée de regarder, dit-elle à son amie.

— Je le veux, répondit Liz.

Le paysage changea, comme souvent dans les songes. Dans une cuisine, Mme Ortecho ouvrit le réfrigérateur et sortit un œuf de sa boîte en carton. Elle le tenait délicatement comme pour lui communiquer un peu de chaleur.

L'instant suivant, elle fut de retour au bord du lac. Elle grimpa dans l'arbre pour atteindre le nid, l'œuf au creux d'une main. Une branche se brisa sous son poids et elle perdit l'équilibre. L'œuf tomba dans le lac.

L'eau rougie commença à bouillir. Les doigts crochus comme des serres, une fille surgit des profondeurs pour se jeter sur la rêveuse.

Mme Ortecho hurla.

Liz s'écarta vivement de l'orbe.

— Assez !

Isabel toucha doucement la sphère. Elle fredonna pour qu'elle reprenne sa taille normale.

— Ça va, Liz ? demanda Maria. Quel horrible cauchemar !

— La fille, expliqua Liz, les yeux brillant de larmes contenues. Je crois que c'était Rosa…

— En es-tu certaine ? Je n'ai pas pu voir son visage, à cause de tout ce…

… Ce sang.

— C'était elle, je t'assure ! Voilà cinq ans que Rosa est morte et ma mère fait toujours des cauchemars !

— Une fois de temps en temps, pas plus…, dit Isabel. Et ça n'est pas obligatoirement une mauvaise chose. Les rêves peuvent être thérapeutiques. Ils aident parfois à guérir…

— Je suppose, admit Liz.

Maria jeta un coup d'œil à Isabel.

— Allons-nous-en.

Les yeux fermés, Isabel se concentra. Le plan des rêves disparut. Elles se retrouvèrent assises par terre dans la chambre.

— Désolée que tu n'aies pas eu droit à ton orbe, dit Liz.

— Ça ne fait rien, répondit Maria. Celui que j'aurais aimé voir n'était pas là.

Elle poussa un gros soupir.

— Je l'avoue, mes amies-sœurs… Je voulais jeter un coup d'œil aux rêves de Michael.

— Oh, je suis choquée ! s'exclama Isabel, feignant une surprise exagérée.

Maria se tourna vers Liz.

— Que lui as-tu dit ? demanda-t-elle.

— Elle n'a pas eu besoin de me parler, dit Isabel. J'ai des yeux pour voir, tu sais. Et les tiens ne quittent jamais Michael longtemps…

Elle consulta son réveil.

— Michael, Max et moi avons besoin de deux heures de sommeil par nuit, leur rappela-t-elle. Donc, Michael ne se couchera pas avant un bout de temps. J'ai une proposition. Restez ici, et je vous ramènerai dans les rêves un peu plus tard. Je peux vous prêter des pyjamas et tout ce dont vous auriez besoin...

— Nous pourrions nous lever plus tôt et rentrer nous changer avant le lycée, dit Liz. Mais il faut d'abord que je demande la permission à mes parents...

Isabel tendit un bras vers sa table de nuit, prit le téléphone et le lui tendit. La jeune fille composa son numéro.

Maria fit de son mieux pour ne pas écouter la conversation. Entendre Liz demander la permission de rentrer plus tard que prévu ou de quitter la ville la gênait toujours. Son père lui posait d'innombrables questions, comme s'il ne lui faisait pas confiance. Quelle injustice !

Liz était anormalement parfaite !

Au lycée, elle collectionnait les bonnes notes. Elle était responsable et le prouvait jusque dans son travail au *Crashdown Café*. Elle aidait sa mère à la maison. Elle ne buvait pas. Elle ne fumait pas. Elle ne se droguait pas. Elle ne couchait pas avec tout le monde... Bref, une lycéenne modèle !

En règle générale, M. Ortecho était plutôt cool. Maria aimait travailler pour lui. Mais elle aurait souhaité qu'il lâche un peu les baskets de sa fille...

Ça n'était pas parce que Rosa avait fait une overdose que sa sœur suivrait le même chemin.

C'était mal connaître Liz que de la croire capable d'une chose pareille !

Liz raccrocha et passa le téléphone à Maria.

La jeune fille appela chez elle. Quand sa mère décrocha, elle lui annonça son intention de dormir chez les Evans. Sa mère lui donna aussitôt sa permission. La communication avait duré deux minutes.

Pourquoi ne suis-je pas surprise ? pensa Maria.

Ce soir-là, le petit ami de sa mère était à la maison… Ils devaient être ravis de rester en tête-à-tête.

— Voulez-vous regarder un film en attendant de retourner dans le plan des rêves ? proposa Isabel.

— Pourquoi pas ? dit Liz.

Isabel leur montra sa vidéothèque.

C'était gentil de sa part de jouer ainsi les hôtesses parfaites… Izzy n'avait pas beaucoup d'amies. Cette nuit, elle voulait renforcer leurs liens.

— Ça te convient, Maria ? demanda Isabel.

Maria sursauta.

Elle n'avait pas écouté un traître mot de la conversation… Mais quoi qu'elles aient pu choisir, ça irait. À ses yeux, le film serait un compte à rebours en attendant d'espionner l'orbe de Michael…

Au moment du générique de fin, Maria eut l'impression qu'une nuée de papillons voletait entre les parois de son estomac.

Elle prit la main que lui tendait Isabel. Ensemble,

elles retournèrent au milieu des orbes scintillants et musicaux.

Je parie que Michael fait des rêves idiots ! pensa-t-elle. *Genre : des hot-dogs qui font une ronde... Rien qui n'ait un rapport avec moi... À moins de se fier à certaines écoles d'interprétation terriblement farfelues...*

Maria fut tirée de ses pensées par la note profonde émise par l'orbe de Michael.

Isabel attira la sphère colorée entre ses mains et l'incita à s'élargir.

Sans perdre de temps – chaque seconde étant une torture – Maria traversa l'enveloppe douce et humide de l'orbe, Isabel et Liz sur ses talons.

Dès qu'elle fut à l'intérieur, Maria sentit son cœur se serrer.

Michael ne rêvait pas de hot-dogs dansant la farandole. Ça, au moins, c'était clair.

Il rêvait qu'il tenait Isabel dans ses bras.

CHAPITRE VII

— Veux-tu que je t'aide à préparer le dîner, maman ? demanda Max en entrant dans la cuisine.

Il aurait dû être en train de chercher le vaisseau spatial de ses parents biologiques. Mais il était trop épuisé pour une autre excursion déprimante dans le désert aride… et un nouvel échec.

— Oui, répondit Mme Evans, tu ouvriras la porte au livreur ! J'ai commandé des pizzas. Ton père et moi sommes chargés d'une affaire très importante et nous devons préparer notre plaidoirie. Cuisiner n'est pas dans mes priorités en ce moment. Quelle chance pour vous !

— Pour nous, peut-être, mais pas pour papa. Tu sais ce qu'il dit toujours…, commença Max.

— Il préférerait encore manger la boîte ! acheva sa mère.

Étrange tout ce qu'un enfant mémorisait sur ses parents sans même y penser…

Son père affirmait que le carton avait meilleur goût que la pizza. Il prenait une bouchée de chaque aliment présent dans son assiette, afin de tout finir en même temps. Il mettait dans son café trois cuillerées de sucre bombées et n'aimait pas qu'on lui en fasse la remarque.

Quelques extraits du fichier *papa* dans le répertoire *nourriture*...

Max avait des centaines de fichiers mentaux de ce type. Comme, par exemple, celui intitulé *enfance de maman*.

Petite, Mme Evans avait pour meilleure amie imaginaire Solly, et pour meilleure amie réelle Annabelle. Sans compter une poupée baptisée Mme Beasely.

Connaître ces détails sur ses parents semblait important à Max. C'était un moyen supplémentaire de repousser l'oubli... Les enfants n'avaient-ils pas pour vocation de perpétuer une lignée ?

Mais cet enfant, ce fils, ce ne serait pas lui.

Trois jours après les premiers symptômes, des changements s'opéraient encore en lui. Le patient X retrouverait-il son vaisseau avant l'échéance fatale ? Ses chances diminuaient...

Que disaient les médecins ? Ah, oui, ils conseillaient aux malades en phase terminale de « prendre leurs dispositions ».

Max avait le sentiment que ce bon vieux patient X aurait intérêt à s'y mettre... Et de se confier à Michael, à Isabel et aux trois humains. Il le fallait. Il ne pouvait plus repousser cela à plus tard.

Le seul point positif, c'était que le patient X était désormais moins effrayé et en colère.

Il était devenu un garçon-bulle.

Dès que Ray avait parlé de l'*akino*, Max avait eu le sentiment qu'une fine couche de plastique se formait autour de lui. Chaque jour, cette protection s'épaississait, créant une barrière entre les autres et lui. Elle faisait même obstacle à ses propres sentiments.

Peut-être une sorte d'anesthésiant se mêlait-il à l'oxygène de la bulle. Max, ou le patient X, se fichait d'être devenu un garçon-bulle. Il se moquait que sa mère et lui doivent communiquer à travers une enveloppe en plastique.

Pour tout dire, il avait du mal à s'inquiéter de quoi que ce soit.

Pourtant, il continuait de tenir aux informations glanées sur ses parents. Il aurait aimé qu'on se rappelle que sa mère était capable de réciter le fameux monologue d'*Autant en emporte le vent*. Cela lui paraissait même de la plus haute importance.

Max contourna la table de la cuisine, s'assit… et se redressa aussitôt en dépit des protestations de son corps qui semblait peser trois fois plus lourd.

— Et si je faisais une salade ?

Il n'en avait pas envie, mais il voulait trouver une bonne raison de rester dans la cuisine. En prime, il se rendrait utile.

Max ouvrit le réfrigérateur et jeta un coup d'œil dans le bac à légumes. Il y avait une laitue défraîchie et une ou deux carottes ramollies.

— J'en ai commandé une, répondit sa mère. Ça nous laisse le temps de parler de ce qui te préoccupe.

— Oh, ce n'est rien. Tout va bien. Je voulais juste faire une salade.

Il poussa le bac du bout du pied et ferma le réfrigérateur.

— Je suis moins inquiète pour la salade que pour les valises que tu as sous les yeux. Elles sont assez grosses pour deux semaines de vacances ! Je ne t'ai jamais vu dans un état pareil, Max…

Elle s'assit et l'invita à faire de même. Max accepta à contrecœur. Quand sa mère estimait qu'il était temps d'avoir une « petite conversation », il n'y coupait pas. À la vérité, il se sentait mieux ensuite… Elle ne lui disait jamais ce qu'il avait à faire. Mais quand il avait fini de lui expliquer le problème, il s'apercevait qu'il tenait la solution.

Cette fois, ce ne serait pas aussi simple.

Des années plus tôt, Isabel et lui s'étaient juré de ne jamais révéler leurs origines extraterrestres à leurs parents.

Max avait la ferme intention de tenir parole.

S'il avouait la vérité, il mettrait leurs vies en danger. Comme celle de Liz et de ceux qui étaient devenus trop proches de lui. Aussi longtemps que l'organisation Projet Table Rase de Valenti rechercherait les extraterrestres vivant sur Terre pour les exterminer, tous ceux qui connaissaient Michael, Isabel et Max seraient en danger.

Le patient X allait mourir.

Bien. Non, ça n'était pas « bien ». Mais c'était probablement inévitable.

Isabel mourrait aussi. Ainsi que Michael.

Deux autres morts prématurées et inévitables.

Mais leurs parents n'auraient pas à mourir. Pas avant longtemps... Et Max ne tenait pas à raccourcir leur espérance de vie en leur révélant un secret mortel.

— Alors, dois-je te faire subir un interrogatoire en règle, demanda sa mère, ou consens-tu enfin à me dire ce qui ne va pas ?

Il fallait qu'il trouve quelque chose !

Max avisa un cheveu blanc, sur la tempe de sa mère. Il l'arracha puis le tint devant elle.

— Eh, doucement ! Ça t'arrivera un jour, tu sais.

Non, maman, jamais...

Il fourra le cheveu blanc dans sa poche.

— Je crois qu'il y en a un deuxième...

Il tendit de nouveau le bras, mais elle lui flanqua une tape sur la main.

— Arrête d'essayer de gagner du temps !

— D'accord, tu as gagné.

Il avait besoin d'un mensonge qui tienne la route.

— Euh, voilà... C'est au sujet de cette lycéenne, belle, intelligente... tout, quoi. Le problème, c'est qu'elle voudrait que nous restions de simples amis.

Bon, il renversait honteusement les rôles. Mais sa mère n'en savait rien.

Et il avait raison ! Aujourd'hui plus qu'hier. Quand il mourrait, Liz perdrait un très bon ami. Pas son amoureux.

— Oh, là, là, ça ne me rajeunit pas... C'est pire

qu'un cheveu blanc ! Mon fils a des problèmes de cœur…

On sonna à la porte d'entrée. Max bondit.

— J'y vais !

— Demande de l'argent à ton père. (Elle lui fit un clin d'œil.) Et tant que tu y seras, demande-lui aussi combien de fois je lui ai répété que j'estimais préférable que nous restions bons amis… avant d'accepter de sortir avec lui.

Avant de quitter la cuisine, Max se força à sourire, pour lui faire croire qu'il se sentait déjà mieux.

— Papa, j'ai besoin d'argent pour payer le livreur de pizza ! cria-t-il dans l'entrée.

— J'arrive ! répondit son père. Mais vous n'auriez pas pu commander autre chose qu'une pizza ? Je préférerais encore manger la boîte !

C'est peut-être la dernière fois que j'entends sa rengaine, pensa Max.

Une part de pizza dans une main et un verre de lait dans l'autre, Michael entra dans le salon.

Le cœur d'Isabel bondit dans sa poitrine. Elle renversa du soda sur son chemisier. Prenant une serviette en papier, elle tamponna la tache.

— Je t'ai fait peur ? demanda Michael.

Il se laissa tomber sur le canapé, à côté d'elle.

— Je ne t'ai pas entendu entrer.

Michael ne prenait jamais la peine de sonner. Les parents d'Isabel l'appelaient leur troisième enfant. Chez eux, il se sentait comme chez lui.

Elle ne l'avait pas entendu entrer. C'était vrai. Mais ce n'était pas pour cela que son cœur s'était soudain emballé. Dès qu'elle était en présence de Michael, elle repensait à ce qu'elle avait surpris dans son orbe de rêve…

Il posa les pieds sur la table basse, plia sa part de pizza en deux et y mordit à belles dents. Décidément, il n'agissait pas du tout comme le garçon du rêve ! Encore un peu et il allait roter ou se gratter les fesses.

Quel soulagement !

Que « grand frère » Michael s'amourache d'elle lui aurait fait un drôle d'effet.

— Tu as tout ce qu'il te faut ? demanda Isabel, doucereuse. Si tu veux, je peux monter te chercher des coussins…

— C'est très gentil à toi de te soucier de mon bien-être, répondit Michael sur le même ton sirupeux. Je suis confortablement installé, merci. Bien sûr, si tu insistes, tu peux ôter mes chaussures et me masser les pieds…

— Justement, je mourais d'envie de masser tes grands panards puants !

Jadis, elle l'aurait fait… avec joie. À douze ans, elle s'était amourachée de Michael. Elle avait même noirci tout un cahier avec des détails essentiels. Son groupe préféré, son plat favori, etc.

À treize ans, elle avait méthodiquement arraché les pages pour les jeter à la poubelle, trouvant ça ridicule.

— Où sont passés les autres ?

— Mes parents sont retournés bosser en ville, répondit-elle. Ils sont sur une grosse affaire qui leur prend tout leur temps. Et Max est dans sa chambre. Enfin, je pense que c'est lui. Ça pourrait être son jumeau maléfique, celui que nous surnommons affectueusement « Le Muet ».

— Je vois… Que lui arrive-t-il ? (Michael passa une main dans ses cheveux ébouriffés.) Y a-t-il un rapport avec Liz ?

— Je doute qu'il y ait du nouveau entre eux. Peut-être que la frustration sexuelle est trop lourde à gérer et que mon cher frère en paie les conséquences.

— J'ignore ce que c'est, fit Michael, suffisant. Je suis beaucoup trop beau pour avoir de tels déboires…

— Oh, c'est vrai… Mais je suis mal placée pour en juger. Je dois être imperméable à tes charmes assassins.

En réalité, sur l'échelle des garçons désirables, Michael atteignait des sommets. Avec lui, on en avait plein les yeux… De magnifiques cheveux noirs, un regard gris intense, des abdos à se pâmer, de larges épaules…

Elle s'arrêta brusquement, se sentant déloyale envers Alex. Bien sûr, il n'avait pas à rougir de son corps. Mais il avait une musculature longiligne, alors que celle de Michael était… en relief. Et qu'y avait-il de mal à admirer un peu de relief de temps en temps ?

— À propos de ton physique de tombeur,

Corrine Williams m'a demandé de t'inviter à sa fête, vendredi soir.

— Êtes-vous invités aussi, Alex et toi ?

Pliant en deux le reste de pizza, il le fourra dans sa bouche et s'essuya les mains sur les cuisses.

— Oui, mais j'ignore si nous irons, répondit Isabel.

Elle ne se sentait pas d'humeur à subir une autre séance de plaisanteries douteuses sur sa relation avec Alex. Dans les vestiaires, Stacey et son équipe n'étaient pas drôles. Et elle ne voyait pas pourquoi ça changerait lors d'une soirée.

Michael jeta un coup d'œil à l'écran de télévision.

— C'est la série où l'héroïne essaie d'avoir un bébé ?

Il tendit le bras le long du dossier du sofa, frôlant les épaules d'Isabel.

La jeune fille frissonna.

Elle n'avait jamais rien ressenti de tel. Enfin… plus depuis ses douze ans, en tout cas. Dès qu'il apparaissait, à l'époque, elle se transformait en petite boule vibrante de joie…

— Non, ça, c'est son ancienne série, répondit-elle, se redressant pour éviter le frôlement. Dans celle-là, elle joue une mère célibataire, et ses jumeaux essayent de lui trouver un mari.

— Ah, oui ! Ils ont des pouvoirs magiques… Comment peux-tu regarder ce truc !

— Non, ça, c'est dans l'autre série. Et je ne regarde pas. J'attends la suite.

— Je vois, il vaut mieux que je prenne la télécommande.

Michael tendit la main, mais Isabel le devança et cacha la télécommande dans son dos.

— Flash info, dit le jeune homme. Je ne suis pas Alex. Je ne joue pas à « Princesse Isabel a tous les droits ».

Il voulut lui prendre la télécommande ; elle s'allongea à demi sur le sofa, coinçant le boîtier entre son corps et les coussins.

Michael l'étudia, ses yeux gris réduits à des fentes.

Isabel eut un nouveau frisson, vite remplacé par un sentiment de culpabilité. Elle savait quelle serait la réaction de Maria si elle entrait et surprenait cette petite séance de flirt improvisé…

— Très bien, fit Michael. Je peux employer la manière douce ou la forte. À toi de décider.

— Rien du tout ! C'est chez moi, ici. Je fais ce que je veux avec la télécommande !

— D'accord. Tu l'auras voulu !

Michael se mit à califourchon sur elle et la chatouilla. Il connaissait ses points sensibles depuis des années.

Isabel poussa des cris perçants avant de l'agripper par les épaules pour le repousser. Peine perdue… Ses efforts le délogèrent d'un misérable centimètre…

Mais elle avait d'autres armes pour gagner la bataille. Elle lui enfonça ses ongles dans le dos.

— Tu triches ! Je n'ai pas de griffes, moi !

Il se tortilla sans s'arrêter de la chatouiller.

— Mais tu es presque deux fois plus lourd que moi, répliqua la jeune fille, et tu es allongé sur moi !

Leurs regards se croisèrent… Et ils se figèrent.

Isabel sentait Michael haleter sur elle. Leur lutte l'avait-elle essoufflé à ce point ?

La jeune fille en était certaine : c'était cela – et uniquement cela – qui avait accéléré les battements de son cœur. Elle s'était trop tortillée pour qu'il ne lui prenne pas la télécommande, voilà tout.

Aucun rapport avec le contact grisant du corps de Michael pressé contre le sien !

Aucun.

Isabel sortit la télécommande de sous son dos et la jeta au jeune homme.

— Tiens ! Je vais… faire mes devoirs.

CHAPITRE VIII

Liz jeta un coup d'œil à sa montre. Si elle se dépêchait, elle aurait le temps de passer au musée de l'OVNI avant de prendre son service au *Crashdown Café*.

Bien.

Max serait là. Elle devait le voir. Il fallait qu'elle constate par elle-même qu'il allait bien.

Son instinct lui soufflait le contraire. Chaque jour, elle le trouvait changé. Il devenait une… épave. Sans parler de cet incident bizarre avec le Bec Bunsen.

Max avait essayé de la convaincre qu'elle n'avait pas pu voir sa peau bouillir. C'était une illusion d'optique… Mais l'odeur de chair brûlée, elle l'avait encore dans le nez !

— Liz ? Tu veux que je t'emmène ? dit une voix, derrière elle.

Max…

— Bien sûr !

Elle se retourna, marcha vers la Jeep et monta à côté de lui.

Liz étudia le jeune homme pendant qu'il démarrait.

Il a l'air d'un cancéreux...

— Pourquoi tu me dévisages ?

Liz décida d'être directe.

— Je m'inquiète pour toi. Tu n'arrêtes pas de me répéter que tout va bien. Mais je ne te crois plus.

— Je suis, disons, fatigué. Je n'ai pas été...

Sa voix mourut. Ses yeux roulèrent dans leurs orbites...

— Max ! cria Liz.

Au son du klaxon, elle releva vivement la tête et vit un camion de livraison à moins d'un mètre de la Jeep.

Ils étaient passés au rouge !

Liz saisit le volant et tourna à gauche. Les pneus de la Jeep crissèrent. Elle écarta le pied de Max de l'accélérateur et écrasa presque le frein.

— Maintenant, je me gare..., murmura-t-elle.

Elle ramena le véhicule le long du trottoir et coupa le moteur. Puis elle se retourna vers Max.

— Tu m'entends ?

Liz souleva les paupières du jeune homme. Il n'y avait que du blanc. Elle devait garder son sang-froid.

Il fallait venir en aide à Max. Mais comment ? Si elle quittait la Jeep et courait vers la maison la plus proche pour appeler des secours, il resterait seul. Elle refusait de l'abandonner, même pour quelques secondes.

— Allez, Max, reviens à toi ! Dis quelque chose, je t'en prie ! Tu m'entends ? C'est moi, Liz…

Elle vit ses paupières frémir.

— Oui ! C'est ça…

Liz prit la main de son compagnon et la massa doucement.

Sous les paupières entrouvertes, elle aperçut un peu de bleu… La main qu'elle tenait eut comme un sursaut. Il revenait à lui !

Merci, mon Dieu…

Max secoua la tête.

— Je crois que je me suis endormi au volant. Je suis lessivé, ces temps-ci. Tu devrais conduire. Dépose-moi au musée. Je reviendrai chercher la Jeep plus tard.

Liz le regarda. Il devait être en état de choc. Elle ne voyait pas d'autre explication.

— Max ! Tu viens de t'évanouir, dit-elle. Je vais te conduire aux urgences.

— Dans le service réservé aux extraterrestres ? Liz, tu sais que c'est hors de question. S'il te plaît, ramène-moi à la maison. J'appellerai le musée pour prévenir que je suis malade. Puis je me reposerai. C'est tout ce qu'il me faut. Dormir un peu.

— Ça ne m'aidera pas à me sentir mieux.

L'adrénaline courait dans ses veines. Et voilà que Max voulait qu'elle le dépose chez lui ! Et puis quoi encore, lui souhaiter une bonne sieste et *hasta luego, amigo* ?

Elle dut faire un effort, se rappeler que, contrairement à elle, il n'avait rien vu… Il ne pouvait pas mesurer la peur qu'il venait de lui faire.

— Max, tu peux me croire, c'est trop grave… Il faut que tu te fasses soigner !

— J'en ai parlé à Ray, murmura-t-il. Ce n'est pas une maladie humaine ! Les docteurs n'y pourront rien changer.

L'estomac de Liz se contracta.

— Qu'est-ce que c'est, Max ?

— Il faut que j'aille travailler. Ou au moins que j'appelle pour prévenir que je ne viendrai pas.

Liz prit le visage de Max entre ses mains et le força à lui faire face, mais il refusa de croiser son regard.

— Nous n'irons nulle part tant que tu ne m'auras pas dit ce qui se passe !

— Je vais mourir.

— Que dis-tu ?

Il leva les yeux et soutint le regard de la jeune fille.

— Je vais mourir.

Michael gara le vieux break des Pascal derrière la Rabbit d'Alex. Il n'arrivait pas à croire qu'on l'ait traîné à une réunion de groupe ! Tous les six, ils se voyaient chaque jour au lycée. Qu'y avait-il de si grave pour que ça n'attende pas le déjeuner du lendemain ?

Il sortit du véhicule et claqua la portière. Quoi qu'il puisse se passer, ils avaient intérêt à ce que ce soit important ! Il allait rater le match à la télé et

Dylan et lui avaient parié sur le résultat. Si Michael gagnait, le gamin serait de corvée de nettoyage des toilettes et de la salle de bains pendant un bon bout de temps…

Michael remonta l'allée. Sans prendre la peine de sonner, il entra en trombe chez les Evans et se précipita dans le salon.

— J'espère que vous ne m'avez pas fait venir parce que vous avez soudain décidé d'assortir nos uniformes à la couleur de nos auras ! Si c'est ça…

Quand il vit Max, sa voix mourut. Son ami avait l'air… sinistre.

Michael se laissa tomber sur le siège le plus proche.

— Que se passe-t-il ? souffla-t-il.

Max ne répondit pas.

Michael se tourna vers Liz. Elle avait les yeux rouges et des traces de larmes sur les joues.

— Dites quelque chose, bon sang ! C'est encore Valenti ? A-t-il découvert un indice ?

— Ils n'ont rien voulu nous dire, précisa Maria. Ils attendaient que tu arrives.

La jeune humaine, Alex et Isabel avaient l'air aussi effrayé que lui.

— Eh bien, je suis là, maintenant !

Ses yeux se posèrent sur Max.

— Je… Nous…

Max s'éclaircit la gorge. D'une main tremblante, il écarta les cheveux qui lui tombaient sur le front.

— Il existe une chose appelée *akino*. C'est…

— … Une étape par laquelle passent tous les

êtres de votre planète, continua Liz. Le signal qu'il est temps de se « connecter » à ce qu'ils nomment la conscience collective. Selon Ray, celle-ci contient toutes les connaissances et les émotions des vôtres. En gros, elle vous donne accès à ce que ressentent les habitants de votre monde. Peut-être est-elle même le réceptacle des expériences des défunts… Je n'en suis pas sûre.

Liz baissa les yeux sur la table basse, luttant contre sa tristesse. Michael aurait voulu se lever, l'agripper par les épaules et la secouer jusqu'à ce qu'elle se décide à parler ! Il serra les accoudoirs de son fauteuil.

— Continue, Liz ! supplia Isabel.

La jeune fille reprit la parole.

— Max traverse la phase cruciale de l'*akino*. En d'autres termes, il doit se connecter à la conscience collective de votre peuple ou bien il mourra. Mais sur Terre, et sans les cristaux de communications qui sont à bord du vaisseau de vos parents, c'est impossible.

C'est une plaisanterie ?

Une semaine plus tôt, Ray lui avait appris que ses parents étaient morts dans le crash de l'appareil et qu'il n'avait pas de famille sur sa planète d'origine. Et voilà qu'aujourd'hui, il découvrait que son meilleur ami allait mourir…

Une plaisanterie de mauvais goût, sûrement !

Isabel gémit. Michael en eut le cœur déchiré. Un tel son n'aurait jamais dû s'échapper des lèvres de la jeune fille. On eût dit la plainte d'un animal pris au piège depuis des jours, sans espoir, blessé et mourant…

Mourant.

Ce qui arrivait à Max leur arriverait aussi à Isabel et à lui. Bientôt, la jeune fille mourrait à son tour…

— Combien de temps ? demanda Michael.

— Ray a parlé de…, commença Liz.

— De mois, de semaines ou de jours, dit Max. Je ne sais pas combien de temps s'écoulera avant que toi et… J'ignore quand ça commencera pour vous. C'est selon les individus, je suppose… Ça peut prendre des années.

Max croisa le regard de Michael, puis détourna les yeux.

Oui. Ou ça peut commencer demain, comprit Michael.

— Bien. Il faut retrouver le vaisseau, dit Alex.

Maria le soutint, parlant de notes, de cartes…

Qu'est-ce qui ne va pas, chez eux ? se demanda Michael.

Il avait cherché le vaisseau toute sa vie. Leurs chances de succès, dans les jours à venir, étaient minces… Squelettiques, même !

À moins que… Michael se souvint que Ray avait caché la Pierre de Minuit dans la grotte.

Il se redressa et vit Liz le regarder, un étrange sourire aux lèvres.

— J'ai une idée, dit-elle.

Alex et Maria continuaient de bavarder.

— Laissez parler Liz ! ordonna Michael.

— J'ai une idée, répéta la jeune fille. En regardant Michael, je me suis souvenu de la manière dont nous lui avons permis d'échapper aux chasseurs de primes.

— Nous nous sommes connectés ! s'écria Maria. Ensemble, nous avons eu la force de le ramener. Pourquoi n'y ai-je pas pensé plus tôt ? Quand nous nous connectons, tous les six, c'est… Je n'ai pas de mots pour le décrire !

Liz se tourna vers Max.

— La puissance de notre connexion te donnera peut-être celle de surmonter l'*akino* sans avoir recours aux cristaux. Qu'en penses-tu ?

Michael savait ce que Max en pensait : une idée infiniment meilleure que d'essayer de retrouver le vaisseau à temps. Et s'ils échouaient, il irait dans la grotte et résoudrait le problème.

Leur connexion lui avait sauvé la vie. Pourquoi ne pourrait-elle pas sauver Max ?

CHAPITRE IX

Max prit de la main de Liz et celle d'Isabel, complétant le cercle.

La connexion fut instantanée.

Cette fois, leurs auras traversèrent le salon des Evans. Des lances de lumière, des lasers bourdonnant de tension électrique… Des étincelles crépitaient là où les pointes se rencontraient.

Au centre du cercle, leurs six couleurs se fondaient en une boule de lumière blanche.

Le vert émeraude de Max.

Le rouge brique de Michael.

Le bleu étincelant de Maria.

L'ambre crémeux de Liz.

Le violet soutenu d'Isabel.

L'orange solaire d'Alex.

Tous se mélangeaient pour donner une seule et même lueur aveuglante.

Sur les bras de Max, les poils se hérissèrent quand l'énergie de ses amis se déversa en lui. Comme si chacun canalisait son *essence* vers lui.

Il rit quand Alex lui transmit une image de

Popeye aux muscles gonflés dès qu'il avalait sa fameuse boîte d'épinard… Puis il retint son souffle devant le vol de perroquets exotiques que lui montra Liz.

Les images affluèrent. Isabel lui rappela un épisode de leur enfance : elle lui tapait dessus avec une pelle en plastique au cours d'une dispute. Michael lui envoya un requin aux yeux morts et aux dents acérées fendant l'eau de toute sa puissance meurtrière. Et Maria lui montra une fleur passant en un clin d'œil du stade du bouton à celui de l'épanouissement.

La musique retentit. Chacun d'eux produisait une note très pure sur une fréquence particulière. Max se sentait invincible.

Tous ses sens étaient mobilisés par la connexion. Les couleurs des auras, les sons et les sensations de la musique, les émotions suscitées par leurs images et leurs odeurs…

Elles montèrent à ses narines : la rose, le cèdre, l'eucalyptus, l'ylang-ylang, la cannelle, l'amande. Il inspira profondément, invitant les odeurs à envahir ses poumons.

Maintenant, pensa-t-il. *Maintenant !*

Max chercha une lueur, un murmure… un indice sur la direction à prendre. Il tenta d'envoyer un peu de son essence, de la leur à travers l'univers. Par-delà les confins de la galaxie… De plus en plus loin au cœur du silence et du froid de l'espace.

Le jeune homme se sentit devenir infiniment léger. Comme converti en pure énergie, il franchissait des distances phénoménales, survolant des planètes inconnues.

Quelque part, dans ce vide, il y avait les âmes de tous les êtres qui avaient vécu sur sa planète d'origine.

Quelque part, dans l'univers, il existait un réceptacle de leurs pensées, de leurs émotions, de leurs rêves.

Il fallait qu'il y accède et les partage.

Je suis ici. Je veux me joindre à vous, me connecter à la conscience collective…

Max essaya d'expédier son message par-delà le vide interstellaire.

Soudain, il crut recevoir une réponse.

Aussi léger qu'une plume lui caressant le visage, il sentit un esprit – ou plusieurs –, frôler le sien. Il ne capta pas d'image, de son ou d'odeur. Mais c'était quelque chose d'extérieur au groupe…

Oui ! Je veux me joindre à vous ! Il faut que je me connecte à notre conscience collective. J'ai atteint mon akino…

À ce mot, le vacarme d'un million de voix envahit le crâne de Max. Toutes hurlaient pour se faire entendre.

Des notes de musique discordantes couvrirent ce brouhaha, envoyant des ondes de choc à travers les tympans de Max.

Des images de visages, d'animaux, de plantes s'engouffrèrent pêle-mêle dans son esprit.

La mort. La naissance. La guerre. La famine. Les célébrations.

Des formules, des schémas, des équations…

Max sentit son sang battre dans ses veines et gorger les artères de son cerveau tandis qu'il luttait pour tout absorber. Il vit ses propres vaisseaux sanguins… éclater.

Il sentait ses synapses se surcharger. Essayant de répondre à l'afflux d'informations. Électrifiant son cerveau…

Max hurla.

Liz, Michael, Isabel, Alex et Maria… Tous crièrent avec lui pour que ça s'arrête.

Puis tout devint noir.

Quand Max reprit connaissance, il entendit une voix.

— Cessons de nous retrouver dans de telles circonstances !

Max rouvrit les yeux. Penché sur lui, Ray Iburg le dévisageait, les mains posées sur son front.

— Tu te sens mieux ?

Max fit un rapide inventaire de ses impressions. Oui, il se sentait plutôt bien.

— Oui. Merci. Comment avez-vous su que nous avions besoin d'aide ?

— Le cri de douleur que j'ai capté était tout sauf discret, répondit Ray.

Puis il s'agenouilla près de Liz et posa les mains sur son front.

Max regarda ses amis, qui revenaient à peine à eux.

— Laissez-moi vous aider, Ray…

— Reste tranquille ! Je ne veux pas avoir à te

guérir une deuxième fois. Qu'essayiez-vous de faire ?

— Aider Max à se connecter à la conscience collective de votre peuple, dit Liz d'une voix mal assurée.

Max la vit avec soulagement reprendre des couleurs. Ray savait utiliser son don de guérison !

— Alors j'ai beaucoup de chance de ne pas avoir retrouvé des légumes, dit-il en posant les mains sur le front de Michael. Encore quelques instants et vous auriez eu le QI d'une citrouille…

— Ton discours de fin d'étude n'en aurait été que plus intéressant, Liz, dit Michael. Les idées d'une citrouille sur ce qu'elle attend de l'avenir !

— Tu as raison… J'aurais pu dire : « *De nombreuses voies s'offrent à nous, amis diplômés. Salades, soupes, fourrage à lapins…* »

Alex se redressa en clignant des yeux.

— Maintenant, il ne nous reste qu'à mettre un plan au point pour retrouver le vaisseau.

Max laissa échapper un rire étranglé.

— Attendons que Maria et Isabel reviennent à elles.

— Tu as raison, répondit Alex. Mais ce n'est pas comme si tu… Comme si nous avions beaucoup de temps devant nous.

Michael pressa sur son front brûlant la canette de limonade sortie du réfrigérateur et feignit d'écouter les autres. À les entendre, ils passeraient à l'action le soir même.

Michael savait que tout cela ne servirait à rien. Pour retrouver à temps le vaisseau spatial, il faudrait la Pierre de Minuit.

Michael l'avait déjà utilisée pour espionner Valenti. Si toucher la pierre remettait les chasseurs de primes sur sa trace, eh bien… c'était un beau jour pour mourir…

À condition qu'il puisse d'abord localiser l'engin spatial.

À condition qu'il sauve Isabel et Max.

S'il fallait que l'un d'eux se sacrifie, il serait celui-là. Max et Izzy avaient une famille. Leurs parents seraient anéantis s'il leur arrivait malheur.

Pour lui, les choses étaient différentes. Après tout, les Pascal ne se souciaient pas vraiment de son sort.

D'accord, il y avait le groupe… Il manquerait sûrement à ses amis. Mais les survivants se réconforteraient les uns les autres. Max serait toujours là pour Izzy. Elle ne serait pas seule.

— Qu'en penses-tu, Michael ? demanda Alex.

— Trois équipes de deux. Plus Ray en solo. C'est bien, répondit-il.

Michael était quasiment certain que c'était ce qu'ils avaient décidé. Lui désirait seulement que cette réunion se termine pour qu'il aille dans la grotte. La Pierre de Minuit y était. Ainsi que le stylo qu'il avait volé sur le bureau de Valenti…

— On commence dès ce soir, n'est-ce pas ? demanda Maria.

— Oui. On se retrouve sur le parking du lycée, répondit Isabel.

Personne ne protestant, la séance fut levée.

— Je vous rejoindrai là-bas, dit Michael.

Il quitta la maison au pas de course, remonta dans le vieux break emprunté à sa famille d'accueil et prit la direction de la sortie de la ville. Il dut se faire violence pour respecter les limitations de vitesse. Valenti adorait arrêter les adolescents et il n'avait pas le temps de jouer.

Le jeune homme se concentra sur la conduite. Chaque fois qu'une idée concernant Max menaçait de pointer le nez, il la repoussait sans ménagement. Il ne devait pas penser à Max, s'inquiéter pour lui ou pleurer sur son sort.

Non. Il devait garder son sang-froid. Il s'occuperait du problème lui-même. Et pas plus tard que maintenant.

Michael quitta la nationale pour s'engager dans le désert. Quand il fut à un kilomètre de la grotte, il s'arrêta. Il ne voulait pas que quelqu'un – et surtout pas un membre du Projet Table Rase – se demande pourquoi un véhicule était garé là, et commence à fouiller les environs.

Le jeune homme sortit de la voiture et continua à pied. Il courut aussi vite que possible, ses foulées ponctuées par une seule pensée : *Il faut que je m'en occupe moi-même... que je m'en occupe moi-même... moi-même...*

Quand il arriva près de la crevasse, la seule ouverture de la grotte, il s'y glissa d'un mouvement fluide. Sans hésiter, il se précipita vers le coin où il gardait un sac de couchage. L'anneau qui portait la Pierre de Minuit était au fond. Le stylo-bille aussi.

Michael s'accroupit, passa l'anneau à son doigt et, de l'autre main, serra l'objet appartenant au shérif.

— D'accord. Où est Valen… ?

— Ne fais pas ça, Michael !

Dans une pluie de gravillons, Maria sauta dans la grotte. Elle recouvrit son équilibre et courut vers lui. D'un geste brusque, elle lui prit le stylo pour le jeter loin d'eux.

— Bon sang, qu'es-ce que tu fais là ?

— Je t'ai suivi ! À la seconde où je t'ai vu te lever, j'ai deviné tes intentions ! Qu'est-ce qui ne va pas chez toi ? Tu m'as posé cette question quand je t'ai avoué avoir utilisé la Pierre de Minuit en toute connaissance de cause… Et voilà que tu t'apprêtes à faire la même bêtise que moi ! Alors, à mon tour : qu'est-ce qui ne va pas chez toi, Michael ?

— C'est différent.

Michael alla ramasser le stylo-bille.

— Il me faut la Pierre de Minuit pour retrouver le vaisseau spatial et sauver Max. Lui sauver la vie. Voilà ce qui ne va pas chez moi !

— Non, je vais te dire, moi, ce qui ne va pas ! cria Maria. Les chasseurs de primes retrouveront aussitôt ta trace et… cette fois, ils ne te rateront pas !

— Et alors ? Ça fera deux vivants et un mort.

Pas trois, ce qui arrivera si tu ne me laisses pas faire !

— Parfait…, répondit Maria, la voix brisée par les larmes qu'elle s'efforçait de retenir. J'aurais dû y penser. Deux sur trois. Génial. Maintenant je me sens beaucoup mieux et je ne vois plus aucun inconvénient à ce que tu te fasses tuer.

Elle pleurait vraiment, luttant pour ne pas éclater en sanglots…

Michael avança vers elle.

— Ne m'approche pas ! N'essaie pas de me toucher ! La seule chose que tu veux, c'est te faire tuer dès que j'aurai le dos tourné.

Ne sachant que faire, Michael dansait d'un pied sur l'autre. Loin de se calmer, les sanglots de la jeune fille redoublèrent.

Incapable d'en supporter davantage malgré ses hésitations, Michael franchit en trois enjambées la distance qui les séparait et voulut la prendre dans ses bras. Mais l'expression de Maria l'arrêta.

Il recula.

— Je pensais ce que j'ai dit… ne me touche pas !

Elle sortit un mouchoir de sa poche.

— Tu te sens mieux ? Je suis désolé de t'avoir bousculée, Maria. C'est juste que… le temps est compté.

— Tu te prends pour un héros ? demanda la jeune fille. Laisse-moi te dire une chose : tu n'es qu'un égoïste ! Tu ne penses qu'à toi. Tu te crois prêt à sacrifier ta vie pour tes amis. Mais as-tu pris le temps de songer à ce qu'éprouveront Max et Isabel ?

— Je m'en fiche ! Au moins, ils seront capables de ressentir quelque chose. Et ça voudra dire qu'ils seront vivants.

— Essaie d'imaginer ce que tu ressentirais si Max donnait sa vie pour sauver la tienne ! Ou Isabel... Pense à ce que serait ton existence si Isabel sacrifiait la sienne pour toi...

Michael ne put répondre. Il se refusait à imaginer une chose pareille.

— Ils t'aiment, continua Maria. Tout ce que tu ressens pour eux, ils l'éprouvent pour toi. Parce qu'ils sont deux et qu'ils ont des parents, tu pars du principe qu'ils ne seront jamais seuls. Et tu crois qu'ils ne peuvent pas tenir à toi comme tu tiens à eux, parce que tu n'as personne d'autre. Mais tu as tort.

Michael sentit des larmes lui monter aux yeux.

— Alex et Liz t'aiment, continua la jeune fille, implacable. Encore une chose à laquelle tu dois faire face ! Tout ce qui te blessera nous blessera aussi. Sache-le. Si tu laisses les chasseurs de primes te tuer, ça nous tuera. Ça me tuera.

Elle leva les yeux vers lui.

— Parce que, moi aussi, je t'aime. Je t'aime, Michael.

Elle n'était pas en train de dire qu'elle l'aimait comme un ami... Elle l'aimait... !

Comment réagir ?

Maria prit la main de Michael et retira l'anneau

qu'il avait passé à son doigt. Il ne fit rien pour l'en empêcher.

— Puis-je te toucher, maintenant ?

— À condition que tu ne me décoiffes pas…

Avec un petit rire étouffé, il la prit dans ses bras.

— Nous retrouverons le vaisseau, promit Maria. Tous les six. Ensemble, nous pouvons tout.

Michael ne répondit pas mais la serra contre lui.

— Tu ne peux pas rouler plus vite ? s'impatienta Isabel.

Elle en était certaine : Michael avait décidé d'utiliser la Pierre de Minuit. Elle n'aurait jamais dû le laisser sortir de la maison… S'il n'y avait pas eu ce film qui passait et repassait sans cesse dans sa tête…

Elle voyait Max, allongé dans un cercueil, le visage pâle en dépit d'un maquillage criard. Puis le cercueil disparaissait dans un trou béant, au son des poulies grinçantes.

Isabel ferma les yeux pendant que ces scènes horribles revenaient la hanter. Mais, malgré tout, elles envahirent son champ de vision. Et avec les images, elle eut droit aux odeurs : celle de la terre retournée et du fard à joue de mauvaise qualité.

— Si nous sommes arrêtés pour excès de vitesse, répondit Alex, ça ne nous aidera pas à arriver là-bas plus vite.

Il appuya quand même sur l'accélérateur.

— Je sais que tu as raison.

Isabel regarda défiler le paysage. Mais le film

des funérailles de Max continuait sur l'écran noir de son esprit.

Celui-ci se transforma en multiplex. Un écran lui montra le cercueil de Max qu'on mettait en terre. Un autre, Michael qui se servait de la Pierre de Minuit et s'écroulait raide mort dans la grotte. Un troisième, un grand classique : son ancien petit ami, Nikolas, froidement abattu par le shérif Valenti.

Enfin, elle se vit elle-même, au milieu d'un champ enneigé qui s'étendait à perte de vue. Elle était seule dans cette immensité.

Seule jusqu'à ce que son tour arrive…

Isabel jeta un coup d'œil à Alex. Si elle lui parlait de ses appréhensions, il la rassurerait : quoi qu'il advienne, elle ne serait jamais seule. Il resterait à ses côtés pour la réconforter.

Mais ce n'était pas la même chose.

Max et Michael – et même Nikolas – avaient avec elle des liens plus forts que tout ce qu'elle pourrait partager avec Alex. Ils étaient liés par leur nature, par leurs pouvoirs et par les souvenirs propres à leur espèce.

Et par le fait de vivre dans un monde où on les traquait.

Si tous ces liens étaient tranchés, elle resterait seule au milieu du champ enneigé…

L'Isabel du film hurla.

Si les choses devaient mal tourner et si la vie de Max était menacée, Isabel irait voir Valenti. Elle n'aurait pas besoin de la Pierre de Minuit pour découvrir ce qu'elle voulait savoir. Elle utiliserait son esprit pour serrer ce qui tenait lieu de cœur au shérif jusqu'à ce qu'il crie comme un goret et lui avoue tout.

S'il en mourait, tant pis. Mieux valait lui que Max. Ou Michael. Ou elle-même.

— Nous y sommes presque, annonça Alex.

Il engagea sa Rabbit dans le désert. La pauvre voiture grinça et bringuebala sur le terrain accidenté.

— Tiens, on dirait que Maria nous a devancés…

C'était bien la voiture de la mère de Maria, garée à côté du break des Pascal.

Isabel ressentit un pincement de jalousie à l'idée que Maria ait retrouvé Michael la première… Puis elle eut honte de se montrer si possessive envers Michael, et si déloyale envers Alex.

— Comment a-t-elle su ? demanda-t-elle.

— De la même façon que toi, je pense.

Le jeune homme se gara à côté des deux autres véhicules. Sans perdre de temps, Isabel et lui s'élancèrent vers la grotte.

Elle savait que Maria avait probablement réussi à arrêter Michael. Mais il lui tardait de s'en assurer par elle-même.

— Courons !

Elle sprinta puis se glissa dans la grotte.

Un rapide coup d'œil lui confirma que Michael était sauf. Il serrait Maria dans ses bras, le visage enfoui dans les cheveux bouclés de la jeune fille.

À cet instant, Isabel aurait donné cher pour être à

la place de Maria. Alex entra, prit Izzy par la taille et l'attira contre lui.

— Tu vois ? Tout va bien…

Isabel hocha la tête. Mais elle ne pouvait s'empêcher de regretter qu'ils ne soient pas arrivés plus tôt. Avant que Michael et Maria se jettent dans les bras l'un de l'autre…

CHAPITRE X

— Max, Liz et toi, vous prendrez cette zone.

Michael désignait une zone du désert sur sa vieille carte.

— Très bien, répondit Max.

Si seulement il n'avait pas dû faire équipe avec Liz ! Seule la jeune fille avait réussi à pénétrer dans sa bulle en plastique. Cet après-midi-là, quand elle avait insisté pour qu'il lui dise la vérité, une grande part de son enveloppe protectrice s'était déchirée…

Avec Liz, il redevenait Max à cent pour cent. *Exit* le patient X…

Avouer la vérité lui avait fait du bien. Mais le chagrin de son amie l'avait presque abattu.

— Bonsoir, je m'appelle Liz et, ce soir, je serai votre chauffeur !

Elle tentait de plaisanter, mais visiblement, le souvenir du malaise de Max restait gravé au fer rouge dans son esprit. Il la hantait.

Les deux jeunes gens traversèrent le parking. Max lui passa les clés.

— Avoir pour un soir, pas un chauffeur, mais un maître d'hôtel femme, a toujours été un de mes fantasmes !

Il n'était pas plus doué que Liz pour détendre l'atmosphère en pareilles circonstances…

— Tu veux dire, quelqu'un qui jouerait le rôle d'Alfred pour Batman tout en étant une nana sexy ? demanda Alex d'une voix où perçait une légère tension.

— Exactement ! répondit Max.

Il monta dans la Jeep, cherchant vainement à bouger naturellement alors qu'il souffrait de plus en plus…

— Vas-tu te décider à mettre ta ceinture de sécurité ? demanda Liz.

Elle venait de boucler la sienne.

— À quoi bon ? demanda Max sans réfléchir.

Il comprit son erreur quand il entendit sa compagne soupirer. Aussitôt, il s'attacha.

Bon sang, sauvegarder les apparences est plus difficile que je ne l'aurais cru…

Liz fit demi-tour et prit la direction de la route nationale, au sud de la ville. Moins d'un quart d'heure plus tard, ils entrèrent dans le désert.

— Je n'avais pas pensé que l'obscurité nous compliquerait encore la tâche, dit la jeune fille. Comment retrouver le rocher en forme de poulet qu'a vu Maria ?

— Michael, Isabel et moi voyons mieux la nuit

que le jour, lui rappela Max. Et chaque équipe est formée d'un humain et d'un extraterrestre.

Oui. Mais alors pourquoi n'était-il pas avec Maria ou Alex ? Être assis à côté de Liz, consciente de la gravité de son état, déchirait de plus en plus sa bulle. Ses sentiments, sa tristesse, sa peur et sa colère avaient désormais un moyen de l'atteindre. Et l'anesthésiant n'était plus aussi efficace…

Maria étudiait le paysage, à la recherche du rocher qu'elle avait repéré en espionnant Valenti. Une tâche difficile. Le désert, c'était… le désert.

Ah, si elle avait fait équipe avec Max plutôt qu'avec Michael ! Être assise près de lui dans le break la faisait transpirer. Avait-elle mis du déodorant aux herbes avant de partir chez les Evans, le matin même ? Elle ne s'en rappelait plus avec certitude.

Il s'était passé tant de choses depuis.

Elle avait même trouvé le courage de dire à Michael qu'elle l'aimait.

La jeune fille jeta un coup d'œil à son compagnon. Très concentré, il conduisait et cherchait le rocher. Elle aurait pu être nue comme un ver sans qu'il le remarque…

Les sentiments qu'elle lui avait avoués l'avaient-ils effrayé ? Il l'avait serrée dans ses bras, mais il n'avait pas ajouté : « Moi aussi, je t'aime. » Il l'aurait peut-être fait si Isabel et Alex n'étaient pas arrivés…

Peut-être est-il trop occupé à essayer de sauver son meilleur ami.

Un coup de klaxon tonitruant l'arracha à sa rêverie. D'un coup d'œil par-dessus son épaule, elle repéra une Caddy cabossée tout près d'eux.

— Pourquoi ne nous dépasse-t-il pas, cet abruti ? grogna Michael. Il trouve qu'il n'a pas assez de place, peut-être ? Il lui faut l'Arizona pour lui seul, ou quoi ?

Le conducteur de la Caddy klaxonna de nouveau. Maria se retourna et lui fit signe de passer. Le type n'eut pas du tout l'air reconnaissant. Il avait l'air familier.

Elle l'avait déjà vu... le jour où elle avait espionné Valenti.

Maria essaya de l'imaginer avec un uniforme et une mitraillette.

— Michael, je crois que c'est le garde que j'ai aperçu dans le complexe où ils ont caché le vaisseau ! Peux-tu te débrouiller pour que je le voie mieux ?

D'un coup de volant, le jeune homme engagea le break sur le bas-côté. Au moment où la Caddy allait les dépasser, il se rapprocha du véhicule.

— Si c'est lui, nous n'aurons plus à nous soucier du rocher en forme de poulet. Il nous conduira au complexe.

Le type de la Caddy baissa sa vitre.

— Et maintenant vous êtes pressés, bien sûr ! brailla-t-il. Génial !

Maria baissa la tête. Elle s'était trompée.

— Non, ce n'est pas lui, Michael. Le garde était beaucoup plus jeune. Désolée…

Michael décéléra, la Caddy disparaissant rapidement devant eux.

— Ça aurait été trop simple…

Maria eut envie de lui serrer l'épaule, pour qu'il sache qu'il n'était pas seul. Mais elle garda les mains sur ses genoux. Le front posé contre la vitre glacée, elle tenta de se concentrer et passa mentalement en revue les rochers qui défilaient sous ses yeux.

Pas un poulet. Pas un poulet…

Une centaine de « pas un poulet » plus tard, Michael freina et coupa le moteur.

— As-tu vu quelque chose ? demanda Maria.

— Non, j'ai senti quelque chose. De la peur.

— Cela venait-il de Max ou d'Isabel ?

Maria le savait : les extraterrestres étaient capables de ressentir les émotions de leurs semblables.

Michael secoua la tête.

— De qui, alors ? Oh, Ray… Tu crois qu'il est en danger ? Faut-il que nous allions voir s'il va bien ?

Maria avait posé ces trois questions sans reprendre son souffle.

— Attends. Laisse-moi me concentrer une minute.

Maria se tint immobile. Sa respiration lui sembla extraordinairement bruyante.

— Je ne sais pas qui c'est.

La voix de Michael était pleine d'étonnement… et d'incertitude.

— Comment peux-tu être sûr que ça ne vient pas de Ray, de Max ou d'Isabel ? demanda Maria. C'est une émotion brute, pas une pensée cohérente, n'est-ce pas ? Ce soir, chacun d'eux pourrait avoir une excellente raison d'éprouver de fortes émotions. C'est peut-être pour ça, d'ailleurs, que ça te paraît différent…

— C'est comme… Je ne sais pas comment te le décrire. Comme si chacun avait un… goût. Et celui-là n'appartient à personne de ma connaissance.

— Un goût ? répéta Maria.

— Faute d'un meilleur terme, oui. Je suppose qu'on ne peut pas comprendre quand on n'en a jamais fait l'expérience…

Maria hocha la tête.

Je parie qu'Isabel comprendrait, pensa-t-elle tristement.

Michael aurait-il préféré être avec Izzy ?

— Attends !

Alex freina si brutalement qu'il fit crisser les pneus de la Rabbit.

— Ce rocher, là, ne te fait pas penser à un poulet ?

— Ça ? demanda Isabel. À une grenouille, peut-être. Mais ne dit-on pas que leurs cuisses ont un goût de poulet ?

— Ton angle de vue n'est pas bon.

Alex attira la jeune fille à lui, en profitant pour respirer son parfum épicé.

— C'est vrai ! s'écria Isabel, un sourire aux lèvres. Tu as raison ! Nous avons trouvé le rocher en forme de poulet !

Alex ouvrit sa portière et descendit de voiture, imité par sa compagne. Ils coururent vers le rocher. Plus ils approchaient, plus il ressemblait à un poulet !

Le jeune homme n'avait pas espéré le trouver dès leur première sortie. Il avait même craint ne jamais le repérer. Mais il était là, devant eux !

Les bras écartés, se trémoussant comme si des ailes lui avaient soudain poussé, Alex laissa échapper un caquètement sonore. Euphorique, Isabel gratta le sol du pied, imitant à son tour les poules de basse-cour. Puis ils se tournèrent autour en gloussant, en caquetant, et en riant comme des fous.

Alex en avait mal aux côtes. Mais que c'était bon !

Max vivrait ! Isabel vivrait ! Michael vivrait !

Alex saisit Isabel par la taille et la souleva dans les airs. Il avait conscience de faire une sorte de crise d'hystérie… Et il s'en fichait !

— Repose-moi, Alex ! demanda Isabel, essoufflée.

Le jeune homme obéit à regret.

Elle cessa de rire et même de sourire.

— Que se passe-t-il ? Isabel, nous avons trouvé le rocher en forme de poulet !

— Oui, mais où est le complexe ? Devant nous, je ne vois que le désert…

— Il est peut-être souterrain, suggéra Alex.

Quel idiot de s'être ainsi excité pour un vulgaire rocher ! Isabel et lui s'étaient réjouis un peu vite.

— Cherchons des crevasses comme celle de votre grotte.

— Tu sais bien qu'il est impossible de voir l'entrée sans avoir le nez dessus ! s'emporta Isabel. Et quelle distance a parcourue Valenti après avoir dépassé ce rocher ? Tu le sais, toi ? C'est sans espoir, Alex…

— Ne dis pas ça ! Nous reviendrons avec les autres et concentrerons nos recherches sur cette zone.

Il essayait de se convaincre lui-même autant que la jeune fille. Il voulait y croire.

— Ça nous prendra trop de temps ! gémit Isabel.

Soudain, elle perdit le contrôle de ses nerfs. Horrifiée, elle se plaqua les mains sur la bouche. Venait-elle vraiment de laisser échapper ce cri ?

— Désolée, murmura-t-elle.

— Inutile, répondit gentiment Alex. Je comprends.

— Non, tu ne peux pas. Tu le voudrais. Tu essaies. Mais tu ne peux pas comprendre…

— Voilà, Max. Nous avons couvert notre périmètre.

Liz fit demi-tour et repartit en direction de Roswell.

Max avait mal aux yeux à force de scruter le paysage. Levant la tête, il contempla les étoiles. Elles étaient si brillantes… On les aurait volontiers crues toutes proches de la Terre. Ce spectacle eut sur lui un effet apaisant.

— Beaucoup sont des étoiles binaires, dit Liz. Mais même avec un télescope, il est parfois impossible de les distinguer. Les choses… semblent souvent aller par deux, dans l'univers.

Max feignit de montrer de l'intérêt pour le sujet, mais il n'aimait pas le tour que prenait leur conversation.

— Ce qui t'arrive m'a donné à réfléchir, ajouta Liz. Je n'arrête pas de repenser à notre résolution d'être de simples amis.

La jeune fille ralentit et coupa le contact.

— Il faut que nous rentrions, dit Max.

Il baissa les yeux, refusant toujours de se tourner vers sa compagne. Si elle tentait de lui extorquer des aveux sentimentaux, il ne tiendrait pas le coup. Sa bulle arrachée, il en resterait sans défense.

— C'est important, insista Liz avec dans la voix ce petit quelque chose d'impérieux qu'il connaissait bien. Tu as prétendu que c'était pour mon bien.

— C'était le cas. Et ça l'est toujours. Si nous devenons trop proches, Valenti pourrait s'en prendre à toi. Tu le sais. Et tu sais aussi de quoi il est capable. Il a tué Nikolas sous nos yeux.

— Ce n'est pas là que je veux en venir. Tu as toujours voulu me protéger. Mais aujourd'hui, c'est… toi qui es sur la sellette. Et Valenti n'y est pour rien.

— Qu'est-ce que ça a à voir avec... ?

Il s'était enfin décidé à la regarder en face. Comme toujours, il fut frappé par sa beauté. Elle était à couper le souffle, avec ses longs cheveux, ses lèvres bien dessinées, ses yeux sombres...

— C'est ce que j'essaye de t'expliquer ! Écoute-moi, c'est tout ce que je te demande.

Tout ce qu'elle lui demandait, vraiment ? Ne voyait-elle pas que ses paroles lui déchiraient le cœur ?

— Comment savoir ce que le destin nous réserve, Max, à toi ou à moi ? Demain, tu pourrais être renversé par une voiture avant que ton *akino* touche à sa... fin. Après-demain, je pourrais avoir une leucémie ou une autre maladie grave. Aucun de nous sur Terre ne sait combien de temps il a à vivre. Alors, pourquoi refuses-tu obstinément que nous passions ensemble les jours qui nous restent ? Pourquoi, Max ?

Comment répondre à cela ? Comment convaincre Liz du bien-fondé de sa démarche quand lui-même ne comprenait plus très bien ses raisons ?

— Je me demande lesquelles sont des paires, dit-il à propos des étoiles, essayant de gagner un peu de temps.

— Nous en formons une, murmura Liz. Nous émettons la même lumière.

Il se tourna de nouveau vers elle.

— Tu as raison. Mais que se passera-t-il si... ?

— Chut !

Liz déboucla sa ceinture de sécurité et se pencha

vers lui. Elle s'arrêta, les lèvres à deux centimètres de celles de son compagnon. Il sentit leur chaleur.

Le jeune homme n'avait qu'un mouvement à faire pour combler la distance.

Comment pourrais-je me détourner d'elle ?

Max donna à Liz le plus doux des baisers. L'instant de grâce lui semblait si fragile qu'un souffle aurait pu le faire voler en éclats.

Sa compagne l'entoura de ses bras. Et Max comprit qu'il avait tort. Il n'y avait pas la moindre fragilité en Liz. Elle était forte, pleine de chaleur… et de vie.

Il n'eut plus qu'une envie : l'attirer tout entière à lui. Il glissa les mains sous son chemisier et remonta le long de son dos, caressant sa peau soyeuse. Liz rechercha fiévreusement le contact de son corps et approfondit leur baiser.

Le jeune homme laissa échapper un gémissement sourd. Liz poussa un petit cri de douleur.

Aussitôt, il s'écarta d'elle.

— Qu'y-a-t-il ?

— Je me suis coupé la main sur un truc qui dépasse…

— Laisse-moi voir.

Il examina la coupure.

— Elle est profonde. Je vais arranger ça.

— Comme au *Crashdown*…, murmura Liz.

Le jour où elle avait été touchée par une balle.

Le jour où il lui avait confié son secret.

Le jour où sa vie avait changé pour toujours.

Le jour le plus beau et le pire de toute sa vie…

… Jusqu'à aujourd'hui.

Aujourd'hui, c'était pire. Et mieux, aussi.

Max prit une profonde inspiration et se concentra pour établir une connexion entre eux. Au lieu de recevoir un kaléidoscope d'images, il vit la même repasser en boucle : son propre visage… quand ses yeux avaient roulé dans leurs orbites.

Pourquoi ne réussissait-il pas à se connecter à la jeune fille ?

Pense à Liz !

Peine perdue…

Liz retira doucement sa main.

— Ça ira. Ne t'inquiète pas. Tu as un mouchoir ? Je m'en ferai un bandage de fortune.

Max déchira le bas de son T-shirt et l'enroula autour de la petite plaie.

— Es-tu certaine que ça ira ?

— Oui.

Elle se glissa de nouveau au volant, remit le contact et retourna sur la nationale.

Le désert semblait plus sombre et plus dangereux.

Max n'avait plus ses pouvoirs.

CHAPITRE XI

— On dirait que nous sommes les derniers à revenir, fit Alex en abordant le parking du lycée.

Isabel ne répondit pas. Rien d'étonnant... Elle n'avait pas desserré les lèvres pendant le trajet de retour. Lui non plus, d'ailleurs.

Chaque fois qu'il avait voulu parler, il s'était souvenu des paroles de la jeune fille : il ne pouvait pas comprendre...

Face à pareille certitude, tout ce qu'il aurait pu dire semblait sans le moindre intérêt.

Il gara sa voiture à côté de la Jeep de Max et ils rejoignirent leurs amis.

— Nous avons trouvé le rocher en forme de poulet ! annonça-t-il. Mais aucun signe du complexe...

— Eh bien, c'est déjà un début, soupira Maria. Tout n'est pas perdu.

Elle tira sur les manches de son pull, se couvrant les mains comme si elle grelottait. Alex s'en étonna. Il ne faisait pas froid à ce point.

— Si tu veux faire un quadrillage de cette zone

pour que nous commencions les recherches dès ce soir, dit-il à Michael, je suis prêt.

Liz jeta un coup d'œil à Max.

— Pourquoi ne pas remettre ça à demain soir ?

Alex suivit son regard… et manqua de s'étrangler. Bon sang, Max semblait sur le point de s'écrouler !

— Tu as raison, Liz. Ça vaut mieux.

— Nous pourrions aller à la petite fête de Corrine Williams, suggéra Michael. À cette heure-ci, il doit y avoir de l'ambiance.

— Tu as envie d'y aller, Isabel ? demanda Alex.

Un peu de distraction lui ferait du bien.

Pensait-elle à ce que l'*akino* signifiait pour elle, ou s'inquiétait-elle seulement pour son frère ?

Alex s'efforçait de se concentrer sur le « problème Max ». S'il songeait au lendemain…

Demain, ce serait le tour de Michael, puis viendrait celui d'Isabel…

Il refusait d'y penser. Sinon, il en perdrait la raison.

Isabel aussi dévisagea Max.

— Non, je crois que je vais rentrer à la maison, décida-t-elle.

— Vous irez tous à cette fête ! ordonna Max. Vous n'imaginez pas que je veux vous garder autour de moi pour être observé constamment ?

— J'aime t'observer, moi ! plaisanta Liz sur un ton presque convaincant. S'il te plaît, laisse-moi venir avec toi !

— Non, vas-y aussi, insista Max. Je suis sûr que

vous vous amuserez. Moi, tout ce que je veux, c'est rentrer me coucher.

— Eh bien, puisque nous voilà d'accord, dit Alex, je vous propose de prendre ma voiture. Il ne doit plus rester beaucoup de place où se garer du côté de chez Corrine.

— Je dépose Max chez lui, puis je vous rejoins, promit Liz.

Michael se dirigea vers la Rabbit. Alex, Isabel et Maria lui emboîtèrent le pas. Alex alluma la radio dès qu'il eut mis le contact. Du bruit et de la distraction, voilà ce dont ils avaient besoin, afin de ne pas se sentir obligés de faire la conversation…

Alex éprouva une sorte de soulagement en se garant à un pâté de maisons de chez Corrine. La fête battait son plein et il y avait du monde partout dans le jardin.

La foule, le bruit, c'était parfait.

Alex enlaça Isabel pendant qu'ils se dirigeaient vers la maison. Il la sentit se raidir.

— Ça va ? lui chuchota-t-il à l'oreille.

Elle hocha la tête et glissa un bras autour de sa taille, accrochant un doigt à un passant de son pantalon. Le jeune homme eut une bouffée de fierté machiste : « *Matez la super nana qui est avec moi !* ».

Et ça ne s'arrangea pas quand ils traversèrent le jardin.

Alex constata qu'ils attiraient effectivement les regards. Que c'était bon !

— Je vais nous chercher à boire ! cria-t-il.

Inutile qu'ils soient deux à se frayer un chemin jusqu'à la cuisine.

La jeune fille le gratifia d'un de ses fameux « *princesse Isabel te sourit* ».

Un instant, l'univers d'Alex se réduisit à cela. Il ne pensa plus à rien d'autre.

Un sourire béat aux lèvres, il partit pour la cuisine.

— Je viens de tomber dans un univers parallèle ? cria un type dans son dos. Je jurerais avoir vu Isabel Evans entrer avec ce gars, tu sais, Alex. Moi qui croyais qu'elle fréquentait les étalons du lycée et les sportifs…

Adossé au saule, au fond du jardin, Michael regrettait d'être venu. Il avait cru avoir envie de faire la fête. Mais c'était avant le « facteur Maria ».

Il était encore sous le choc de ce qu'elle lui avait révélé dans la grotte.

Décidément, les événements se précipitaient… Il n'avait pas idée de ce qu'il était censé faire, maintenant. S'il croisait Maria dans la maison, devrait-il l'inviter à danser ?

Être confiné avec elle dans l'espace exigu d'une voiture, pendant leurs recherches avait été assez difficile. Alors, danser, la toucher… Il n'osait pas y penser. Ne prendrait-elle pas cela pour une déclaration en règle ?

Ce qu'il voulait vraiment ? Que tout redevienne comme avant ! N'étaient-ils pas mieux au temps où ils pouvaient se fréquenter sans arrière-pensée, s'amuser et regarder ces navets de films d'horreur ?

À vrai dire, une relation comme la leur *plus* quelques baisers fougueux ne seraient pas pour lui déplaire. Il devait l'admettre. À ses yeux, Maria n'avait plus rien d'une « petite sœur ». Oui, il aurait aimé flirter un peu avec elle.

Mais de là à vivre une relation intense et tragique, comme celle de Liz et de Max. Et lorsqu'il repensait au regard de Maria quand elle avait avoué qu'elle l'aimait… Difficile de faire plus intense et plus tragique !

— Stacey t'a dit d'amener Michael et Max pour compenser la présence d'Alex, chuchota Corrine à l'oreille d'Isabel.

Stacey a dit.

La jeune fille se demanda combien de groupies de Stacey viendraient lui rappeler les desiderata de leur modèle. Probablement toute la troupe d'émules de la pom-pom girl en chef… C'était leur unique raison de vivre, après tout.

Isabel n'avait pas besoin de ça ce soir.

— Et où est ton petit ami ? demanda-t-elle, feignant de le chercher dans la foule. Est-il en train de vomir dans les toilettes ou est-il déjà dans les vapes ?

— Il a dû partir, répondit Corrine.

Elle s'éclipsa.

Oh, bien sûr, ma chère…, pensa Isabel.

Voyant Alex revenir de la cuisine, elle vint à sa

rencontre, prit les deux verres qu'il avait rapportés et les posa près d'un mur.

— Allons danser !

Elle l'entraîna près de Doug Highsinger et Stacey Scheinin. Elle voulait que Mlle Stacey voie qu'elle n'avait aucune intention de raser les murs !

Alex posa les mains sur la taille de sa cavalière. Isabel se cambra, le buste en arrière. Ainsi, ses cheveux blonds frôlaient le bras nu de Doug. Quand le jeune homme leva la tête, surpris, elle se redressa et se plaqua à son partenaire, provocante.

Elle n'eut pas besoin d'en faire plus... Dougie ne la quittait déjà plus des yeux.

Prends ça dans les dents, minable !

Doug la draguait depuis le collège. En vain. Elle n'était jamais sortie avec lui.

Et cet idiot doit se contenter de Stacey !

Isabel sourit.

D'humeur caressante, elle glissa les mains dans les cheveux d'Alex. Elle aimait leur contact : épais et très doux. Mais en cet instant, une seule chose comptait à ses yeux : la réaction dépitée des autres... Elle voulait que tous les garçons de la fête souhaitent être à la place de son cavalier.

Et que toutes les filles sachent ce que leurs partenaires désiraient en réalité...

Le morceau terminé, Isabel se sentit plus sûre d'elle que jamais. Mission accomplie !

— J'ai besoin de prendre l'air une minute, Alex...

Le jeune homme hocha la tête. Elle se fraya un chemin à travers les danseurs pour gagner le jardin.

Là, elle inspira profondément. L'air nocturne était frais. Puis elle aperçut Michael, près du saule et s'approcha. Depuis que Max leur avait parlé de l'*akino*, c'était la première fois qu'ils se retrouvaient seuls. Mais elle ne se sentait pas le courage d'en parler avec lui. Pas maintenant.

Michael lui passa un bras autour des épaules ; elle se blottit contre lui.

Hum, oui…

C'était la sensation qu'elle avait recherchée toute la soirée. Elle en avait rêvé. Et Michael comprenait ce qu'elle ressentait.

Parce qu'il le ressentait lui-même.

Maria aperçut Alex, assis sur une marche, dans l'escalier. Elle le rejoignit et s'assit à côté de lui, sur la moquette.

— As-tu vu Isabel ? demanda Alex. Elle m'a faussé compagnie…

Tiens, on dirait que c'est contagieux.

Mais Michael n'était pas son petit ami. Elle ne pouvait pas lui demander de passer la soirée avec elle.

— La dernière fois que je l'ai vue, elle dansait avec toi, répondit Maria. Un drôle de spectacle, je dois dire ! J'ai cru que les filles allaient se jeter sur vous pour te glisser des billets dans le caleçon !

— Cool ! fit le jeune homme.

Mais il avait l'air… ailleurs.

— J'ai une question importante. En ta qualité de

meilleur ami, il est de ton devoir de m'expliquer le fonctionnement de l'esprit masculin.

— Euh, oui…

Alex arracha un poil de moquette et le roula entre ses doigts.

— Dis-moi, de quelle couleur est ce truc, d'après toi ?

— Terre de Sienne ! répondit vivement Maria. Voilà… Si une fille dit à un garçon qu'elle est amoureuse de lui, ne devrait-il pas se sentir obligé de lui répondre ? Avec des mots, je veux dire ?

— Attends, laisse-moi le temps de sortir mon exemplaire de *Les hommes viennent de Mars, les femmes viennent de Vénus*.

Alex plaisantait, mais il scrutait inlassablement la foule.

Maria avait besoin d'une réponse à sa question, mais le manque d'attention d'Alex ne la dérangeait pas. Au contraire…

S'il avait pu se concentrer sur ce qu'elle lui demandait, comme d'habitude, il aurait immédiatement deviné que la fille en question était… Maria elle-même. Et il n'aurait eu de cesse de lui arracher tous les détails.

— En tant que représentant de la gent masculine, je dirais… que l'absence de réponse est une réponse en soi. Même si ce n'est pas celle qu'attend la fille.

— Alors, ça veut dire que le garçon ne partage pas ses sentiments ?

Maria se mordilla une mèche de cheveux avant

de se reprendre. Elle n'avait plus fait ça depuis… ses neuf ans !

— Euh… Oui, on peut dire ça comme ça. Mais certains garçons ne sont tout simplement pas du genre à exprimer ce qu'ils ressentent. Ils peuvent éprouver des sentiments très forts, sans être capables de les extérioriser.

— Permets-moi te dire que tu ne m'es d'aucune aide ! l'informa Maria.

— On accorde trop d'importance aux mots. À la manière dont on te traite, tu sais très bien ce que les gens ressentent pour toi. C'est tout. Maintenant, je pars à la recherche d'Isabel, la Femme Invisible.

Il joignit le geste à la parole, laissant Maria seule.

À la manière dont on me traite… Comment pourrais-je savoir de quelle manière Michael me traite puisqu'il garde toujours ses distances… ?

Sans trop savoir pourquoi elle prenait cette précaution, Liz ouvrit doucement la porte d'entrée. Qu'ils soient ou non endormis, elle devait signaler à ses parents qu'elle était rentrée. C'était la règle.

La jeune fille s'empressa d'aller à leur chambre et frappa deux coups rapides, suivis de trois lents.

« *Je suis rentrée et je ne suis pas sous l'emprise d'une drogue* », avait-elle baptisé ce signal.

Jamais devant ses parents, bien sûr.

— Bonne nuit, *mi hija* ! lança son père.

— Bonne nuit, répondit-elle.

Devait-elle téléphoner chez Corrine pour prévenir Maria et les autres qu'elle ne viendrait pas ?

Inutile. Ils devaient déjà s'en douter.

La jeune fille traversa le couloir et entra dans la cuisine. Un verre de lait et un morceau de dinde, s'il en restait, lui feraient le plus grand bien. C'était une de ces nuits, elle le sentait, où elle aurait besoin d'aide pour trouver le courage d'aller se coucher.

Liz voulut ouvrir le réfrigérateur… et vit qu'une nouvelle photo y était fixée.

Voir son visage affiché partout était terriblement embarrassant.

Du vivant de Rosa, la moitié de la surface était couverte de photos d'elle. Liz pensa qu'elle devrait faire un tour à la cave, histoire de mettre la main sur ces clichés. Tous avaient disparu au lendemain de la mort prématurée de l'adolescente…

Elle n'en avait pas besoin pour se rappeler sa sœur. Il ne se passait pas un jour sans qu'elle repensât à elle.

Comme elle repenserait chaque jour à Max si… Si…

CHAPITRE XII

— Je voudrais tant vous accompagner ! s'écria Maria. Mais mon père a acheté ces billets pour le concert il y a longtemps… Il panique à l'idée que le lien père-fille se dénoue, alors nous serons en tête-à-tête – pas de Kevin.

— Va renforcer ton lien avec ton père…, dit Max. Si l'un de nous avait prévu autre chose, qu'il le dise… Vous avez passé la journée à crapahuter dans le désert autour du rocher-poulet et vous avez mérité un peu de vacances.

Il souhaitait qu'ils s'en aillent tous. Au moins pour un temps. Être le centre de tant d'attention, avec ses cinq amis sur le qui-vive et aux petits soins, lui faisait un drôle d'effet.

Michael déroula sa carte sur la table basse, dans le salon des Evans.

Ils utilisaient la maison de Max et d'Isabel comme quartier général, car les parents des jeunes gens étaient absents. Ils passaient le week-end à Clovis, dans leur bureau, convaincus que rentrer dormir chez eux serait une perte de temps.

— Bien. Étendons notre zone de recherches autour du rocher-poulet, dit Michael. Ray patrouillera dans le périmètre. Ainsi, il pourra repérer toute voiture approchant de là et la suivre… jusqu'au complexe.

Maria se leva, ramassa son sac à dos… et se jeta presque au cou de Max, son aura se mêlant à celle du jeune homme.

— J'y vais. Salut !

Elle sortit avant qu'il ait le temps de réagir.

Avait-il entendu des larmes dans la voix de Maria ? Max espérait de tout son cœur s'être trompé. Si Maria pleurait chaque fois qu'elle posait les yeux sur lui, il ne le supporterait pas longtemps.

— Alex et Isabel, vous patrouillerez dans ce secteur, continua Michael. Liz et Max…

Il fut interrompu par le retour de Maria.

— Je viens d'avoir une idée ! Ça va vous paraître loufoque, mais ça pourrait marcher. Vous êtes capables de modifier l'apparence d'une personne, n'est-ce pas ?

Max acquiesça.

Il l'avait fait une fois, hors des séances d'entraînement avec Ray. Le soir où Liz avait décidé de sortir avec un autre garçon… Il avait utilisé ce stratagème pour l'espionner.

Max regarda la jeune fille. Elle lui souriait. Le même souvenir venait aussi de traverser la tête de Liz !

— Génial ! continua Maria. Voilà mon idée : vous pourriez aller boire un verre en ville… après avoir pris l'apparence du garde que j'ai vu dans le complexe. Avec un peu de chance, l'un de vous rencontrera une personne qui connaît le vrai garde et engagera la conversation. Si c'est un collègue…

— Nous pourrions obtenir des informations importantes ! coupa Michael. Oui, ça vaut le coup d'essayer.

— Qu'en dis-tu, Max ?

— Pourquoi pas ?

Puis il se rappela que l'*akino* l'avait privé de ses pouvoirs. Comment avait-il pu oublier ?

— Isabel et toi devrez officier sur Liz, Alex et moi, admit-il. Je ne peux plus faire… ce genre de choses.

— Explique-nous simplement comment procéder, dit Isabel.

Il détestait se sentir aussi impuissant ! Qu'arriverait-il ensuite ? Faudrait-il le nourrir à la petite cuiller ?

— Ça n'est pas très différent de la technique de guérison, répondit-il. Mais au lieu de presser les molécules pour refermer une coupure ou arrêter une hémorragie, vous les poussez à remodeler la peau et les os en fonction des besoins.

— Je vais essayer sur Liz, dit Michael.

Max se leva et changea de place avec son ami, afin que celui-ci soit à côté de la jeune fille. Voir Michael se connecter à Liz ne l'enchantait guère. Mais, ce n'était pas le moment de se conduire comme un bébé.

Maria commença à décrire le garde avec de grands gestes enthousiastes.

— Il a un visage aux joues rebondies… des fossettes… un nez fort et aplati…

Les pupilles de Michael se dilatèrent. Les doigts posés sur le visage de Liz, il lui malaxa doucement les joues, comme s'il s'agissait de pâte à modeler. Il sculptait les traits de la jeune fille !

Il fallut une minute pour que Liz devienne un homme d'âge moyen. Michael s'écarta et montra le résultat à Maria.

— Non. Désolée. Ce n'est pas du tout ça… Michael, si nous étions connectés, pourrais-tu prendre l'image du garde dans ma mémoire et la reproduire sur Liz ?

— Essayons !

Michael se connecta à Maria puis replaça les mains sur le visage de Liz… qui commença à se métamorphoser. Les yeux sombres de la jeune fille devinrent bleus, ses sourcils bien dessinés se firent plus touffus et il lui poussa un double menton.

— C'est ça ! s'exclama Maria.

Michael plongea les mains dans les cheveux de Liz. Ils passèrent du brun foncé à l'orange, puis au blond paille. Quand le jeune homme eut terminé, ils avaient presque une coupe militaire.

— Incroyable ! murmura Maria.

Laissant courir ses doigts dans ses cheveux en brosse, Liz jeta un coup d'œil à Max par-dessus son épaule.

— Qu'en penses-tu ? De quoi ai-je l'air en blond… euh… pratiquement chauve… ?

— Je ne te jetterais pas hors du lit, répondit Michael avant que Max ait pu desserrer les lèvres.

— Finissons-en ! s'impatienta Isabel. J'ai hâte de me mettre au travail.

La connexion Michael-Maria s'occupa aussitôt d'Alex. Isabel décida de se métamorphoser elle-même.

— Je vais chercher à boire, annonça Max.

Il se sentait tellement inutile ! Maria donnait les instructions pendant que Michael, Isabel, Liz et Alex travaillaient ensemble. Lui, il était assis là, à se tourner les pouces !

Un perdant…

Max se dirigea vers la cuisine. Ses pieds pesaient des tonnes. Se laissant tomber sur la chaise la plus proche, il posa le front sur la table. Enfin seul, il n'avait plus à jouer la comédie. Il était épuisé et se tenir assis ou respirer devenait un calvaire…

— C'est ton tour, Max ! cria Michael.

Max redressa la tête. Comment avaient-ils pu peaufiner la métamorphose de Liz et réaliser celle d'Alex en si peu de temps ? Il jeta un coup d'œil à l'horloge de la cuisine. Une demi-heure était passée !

J'ai dû m'assoupir…

D'habitude, deux heures de sommeil par nuit lui suffisaient. Mais ces derniers temps, il dormait debout…

Max se leva sur des jambes flageolantes. Prenant

une profonde inspiration, il se concentra pour retourner au salon. Et pour ne pas montrer à quel point il avait peur.

— Je crois que je vais rester ici, dit-il en s'asseyant sur le sofa.

— Je te tiendrai compagnie, proposa aussitôt Liz.

Du moins, il pensa que c'était elle. Un type blond solidement charpenté à la voix rauque et vêtu d'un uniforme gris venait de lui parler !

Eh bien, Michael n'a pas oublié les cordes vocales !

— Je n'ai pas besoin d'une baby-sitter ! répondit Max, essayant de ne pas trahir son irritation.

En vain.

— Liz, ajouta-t-il plus gentiment, tout ce que tu peux faire pour moi, c'est trouver des informations sur le vaisseau.

Liz hocha la tête et se tourna vers les autres « gardes ». Isabel avait terminé sa métamorphose et celle d'Alex.

— Choisissons chacun une zone déterminée, dit Liz. Il ne faut pas que deux d'entre nous se retrouvent au même endroit au même moment. Ce serait catastrophique.

Ils devaient se répartir les bars et les clubs de la ville.

— Soyez prudents ! recommanda Max. Appelez si… vous avez besoin de quelque chose.

Comme s'il avait été capable d'intervenir en cas de problème !

— Tu seras notre Charlie et nous tes drôles de dames ! badina Alex.

Enfin, Max crut qu'il s'agissait de lui. Les trois « gardes » avaient la même voix. Mais c'était le genre de commentaires typiques d'Alex.

— Dépêche-toi si tu veux les rattraper et avoir ta part de bars à écumer, Michael ! lança Max. Liz a raison, vous ne devez pas vous montrer à deux au même endroit. Ce serait trop dangereux. Nous n'avons aucun moyen de savoir si le Projet Table Rase se doute de notre pouvoir de métamorphose… Mais si c'est le cas et que l'un d'eux voit deux collègues identiques…

— Je n'irai nulle part, coupa son ami.

— Je le répète : je n'ai pas besoin d'un baby-sitter !

— Tu préfères t'allonger dans le salon ou ta chambre ? demanda Michael.

Max abandonna la lutte.

— Dans mon lit.

Michael lui tendit la main. Résigné, Max la prit et se leva.

Alex eut une bouffée d'angoisse en entrant *Chez Moe*, un des seuls bars de la ville qui ne tournait pas autour du thème des extraterrestres. Puis il s'avisa qu'on ne lui demanderait pas sa carte d'identité. Le garde avait au moins trente ans. Et il les faisait largement.

Il s'installa au bar et commanda un ginger ale.

Ça ressemblait assez à de l'alcool pour qu'il ne passe pas pour une mauviette.

Alex jeta des regards discrets autour de lui. Ouf, son père n'était pas là !

Chez *Moe*, il avait toutes les chances de tomber sur le major. C'était le troquet de prédilection des militaires à la retraite. Alex ignorait si le Projet Table Rase avait des liens avec l'armée, mais... c'était probable.

Voilà pourquoi il avait décidé de commencer par là.

Alex ôta la paille ridiculement fine et but quelques gorgées de ginger ale. Il espérait que quelqu'un le remarquerait et lui ferait signe...

Si le garde était un habitué, le patron devait l'avoir déjà vu. Mais il y avait beaucoup de monde. Le barman l'avait servi à la hâte avant de courir vers un autre client.

Quand je lui commanderai un deuxième verre, je ferai le malin en lui demandant s'il sait qui je suis...

Alex s'imagina en train d'errer dans le bar, les mains posées sur les tempes, en murmurant : « Où suis-je ? Qui êtes-vous ? Qui suis-je ? »

Peut-être aurait-il été plus judicieux de continuer à chercher autour du rocher-poulet... Mais s'ils échouaient, ils s'y remettraient dès le lendemain.

Combien de temps leur restait-il ?

Max avait l'air mal en point. Très visibles à présent, les effets de l'*akino* semblaient s'accélérer. En moins d'un jour, il avait maigri et sa peau devenait translucide. Alex avait un choc chaque fois qu'il le regardait.

— Un scotch on the rocks ! lança quelqu'un à côté de lui.

La voix était familière. Très.

Tu savais que ça pouvait arriver, se rappela Alex.

Tournant un peu la tête, il découvrit son père. Le major s'assit sur le tabouret voisin.

— Êtes-vous dans l'armée ? demanda-t-il à Alex.

Bien sûr. Son père connaissait deux catégories de gens : ceux qui étaient dans l'armée et ceux qui n'y étaient pas.

— Dans les Marines, répondit Alex.

Les mots lui avaient échappé. Sans doute avait-il spontanément choisi ce corps d'armée parce que Jesse lui avait fait l'article… Et pour une fois, il était en position d'impressionner son père !

— J'ai deux fils dans la marine et un troisième chez les Marines, répondit le major.

Bien sûr, je ne vaux pas la peine d'être mentionné, pensa le jeune homme.

— Pas d'autres enfants ?

Il avait envie de voir si son père continuerait de nier son existence.

— Si. Le cadet est lycéen et n'a pas idée de ce qu'il veut faire de sa vie. Non, pas la moindre…

— Oh, grommela Alex.

Puis il réalisa qu'il avait là une occasion en or : bousculer un peu les préjugés paternels.

Mais d'abord, appâter le poisson…

— Exactement comme mon frère Willy, dit Alex. Mon père se faisait un sang d'encre à son sujet. Il a essayé de le remettre sur le droit chemin en le faisant participer à un programme ROTC au lycée. Mais Willy s'arrangeait toujours pour manquer l'entraînement. Il était trop occupé à s'amuser sur son ordinateur et à draguer les nanas. Enfin, il a quand même réussi à avoir son diplôme, à l'arraché…

Cette dernière remarque correspondait aux prédictions du major sur l'avenir médiocre de son cadet.

— Exactement ! s'écria le major. Mon fils est pareil ! Il n'a pas l'air de comprendre que ses deux dernières années de lycée détermineront son choix de carrière.

Attends, papa, je n'ai pas terminé…, pensa Alex qui commençait à trouver cette partie de pêche très amusante.

— Alors, comment votre frère s'en est-il tiré ? demanda son père.

— Vous n'allez pas me croire…, répondit Alex.

Il vida son verre, savourant l'instant. Il allait ferrer sa prise et laisser son père-poisson frétiller désespérément sur la berge…

— Willy s'en est plutôt bien tiré. Vous avez sûrement entendu parler de lui. Aujourd'hui, on l'appelle Bill. Bill Gates.

Son père faillit s'étouffer avec un glaçon.

Alex eut un grand sourire.

Eh, oui, papa. Penses-y la prochaine fois avant de me harceler avec ton programme militaire… Qui sait, moi aussi, un jour, je pourrais imaginer des logiciels et devenir le maître de la moitié de cette fichue planète !

Isabel gara la Jeep de son frère sur le parking du *Ballon Météo*. L'enseigne lumineuse au néon projetait sur l'asphalte un arc-en-ciel de couleurs : le bleu du ballon sonde, le vert du petit extraterrestre qui sortait la tête de derrière et la rentrait aussitôt, le rouge de son pistolet laser.

La jeune fille sortit du véhicule et tituba. Elle avait encore du mal à se faire à son nouveau corps. Le garde qu'elle incarnait était fortement charpenté...

Une quadragénaire sourit à Isabel en la voyant arriver. La femme avait des petits hommes verts partout sur son collant. La jeune fille lui rendit son sourire. Elle s'efforçait d'être gentille avec tous ceux que la nature n'avait pas gâtés autant qu'elle. Or, quiconque se sentait obligé de porter de tels collants en public était du nombre.

Le sourire de la femme s'élargit, ouvertement aguicheur.

Isabel soupira.

Bon sang, elle croit m'avoir tapé dans l'œil..., pensa la jeune fille. *Elle me prend pour un bimbo blond décoloré !*

Elle s'efforça de garder une expression neutre en passant à côté de l'inconnue, et entra dans le bar. D'accord, elle était un homme... Mais une attention indésirable restait une attention indésirable. Et dans ces cas-là, Isabel savait comment se conduire.

Oh, non… Et si cette femme me connaissait – enfin, le garde ? Et si je venais de décourager bêtement la personne que nous recherchons ?

Isabel observa l'inconnue par-dessus son épaule. Elle ne jetait pas de regards furieux au garde… Une réaction probable si elle l'avait connu et qu'il l'ait ignorée sans la saluer.

Jouer le rôle du garde était moins facile que Liz ne le prétendait. C'était même un défi. La jeune fille repéra une table vide et s'y installa.

Elle croisa les jambes.

Oh, terriblement masculin !

Isabel décroisa vivement les jambes et, singeant le comportement d'un homme, s'ingénia à occuper autant d'espace que possible. Elle s'accouda à la rampe qui passait près de la table et allongea les jambes, les écartant un peu. Oui, elle était un homme, maintenant.

Il lui fallait de la place !

S'il avait pu la voir en cet instant, Max aurait ri à gorge déployée. Sa bêcheuse de petite sœur jouait les gros bras !

Penser à Max fit courir un frisson glacé le long de son échine. La peur l'étreignit. L'*akino* semblait progresser à une vitesse fulgurante. Et voilà qu'elle venait frimer dans un bar, se souciant de détails aussi stupides que de ne pas croiser les jambes !

Une serveuse vêtue d'un T-shirt moulant du *Ballon Météo* approcha.

Pauvre fille..., pensa Isabel.

Les clients devaient s'en donner à cœur joie et rivaliser de commentaires salaces.

— Une bière, dit Isabel.

Elle prit soin de regarder la serveuse dans les yeux. Elle devait être le seul mâle à ne pas loucher en direction de ses seins. La serveuse dut apprécier ce tact peu habituel car elle revint aussitôt avec le verre.

La jeune fille fit mine d'avaler une première gorgée. Un type comme... elle devait carburer à la bière. Si elle avait demandé un soda, elle aurait été tentée de le boire. Et elle aurait ensuite dû faire un tour aux toilettes...

Or elle refusait catégoriquement de devoir se soulager en habitant un tel corps.

Dire que je ne connais même pas mon nom... ! Si quelqu'un m'appelait, je serais incapable de réagir.

Elle dévisagea furtivement la clientèle du *Ballon Météo*, évitant de donner des idées aux femmes dont elle croisait le regard.

Ses yeux s'arrêtèrent sur l'horloge, derrière le bar. Elle avait quitté Max depuis une heure et avait presque peur de rentrer, terrifiée des changements qui seraient survenus en lui en si peu de temps.

Isabel continua son inspection, au cas où elle aurait manqué quelqu'un. Personne ne semblait savoir qui elle était. Le plan de Maria était dingue... Et voué à l'échec.

Quant à trouver le complexe en tournant autour d'un rocher en forme de poulet, c'était presque aussi loufoque que vouloir compter les grains de sable du désert… Mission impossible !

Un cri éclata à une table voisine. La serveuse foudroya du regard un jeune homme sous les regards goguenards de ses deux amis. Son T-shirt moulant était trempé.

— Désolé ! lança le type sur un ton qui manquait cruellement de sincérité. J'ai cru entendre l'annonce du concours de T-shirt mouillés. Vous vouliez y participer, non ?

— Non ! répondit Isabel à sa place.

Ce problème-là n'en était pas vraiment un. Du moins, il avait sa solution. Et Isabel allait se faire un plaisir de le régler. Elle dévisagea durement le jeune homme.

— Excusez-vous !

Le type la regarda un long moment avant de se tourner vers la serveuse.

— Désolé.

Puis il fit un clin d'œil à ses amis et jouta :

— Laissez-moi vous aider à vous sécher.

Isabel bondit avant qu'il puisse toucher la fille. Elle l'attrapa par le col de sa chemise et l'arracha de sa chaise. Puis elle lui abattit son poing sur le nez et prit plaisir à le voir saigner.

Un problème facile à régler… Quelle bénédiction !

CHAPITRE XIII

Liz sentit quelqu'un lui tapoter l'épaule. Elle était au *UFOnics* depuis moins d'une demi-heure et on l'avait déjà reconnue ! Elle se retourna… et eut un coup au cœur.

Le shérif Valenti !

— Venez avec moi, ordonna-t-il.

Puis il fit demi-tour.

Ça marche ! pensa-t-elle.

Elle le suivit sur le parking.

Il te prend pour le garde qui travaille au complexe, Liz, alors reste calme ! C'est peut-être l'occasion d'obtenir des informations de premier ordre…

Valenti regagna sa voiture. Les claquements de ses bottes sur l'asphalte faisaient grincer les dents de la jeune fille. Il ouvrit la portière et s'installa au volant. Il présumait – avec raison – que le « garde » l'accompagnerait sans poser de questions.

Liz monta et claqua la portière. Elle espérait bien imiter la démarche et les tics du type.

Elle risqua un rapide coup d'œil à Valenti.

Pour une fois, il ne portait pas ses lunettes miroirs. Même sans elles, deviner ce qu'il pensait était une gageure. Si les yeux du shérif étaient les miroirs de son âme, une conclusion s'imposait : il n'en avait pas…

Il faut alerter les médias ! pensa la jeune fille. *Comme si tu ne le savais pas depuis longtemps…*

Valenti sortit du parking et prit la direction du centre-ville.

— Nous avons besoin de vous au complexe, pour une série de tests. Nerz étant malade, vous seul avez une autorisation. Heureusement, vos habitudes ne changent pas et j'ai pu vous retrouver à temps.

Liz jubila. Une fois introduite dans le complexe, elle pourrait peut-être approcher du vaisseau. Et, qui sait, parvenir à monter à bord pour récupérer les cristaux…

Mais même si elle ne les rapportait pas ce soir, ils seraient plus près de sauver Max qu'ils ne l'avaient jamais été.

— Quelque chose vous amuse, Towner ? demanda Valenti.

Elle devait sourire jusqu'aux oreilles.

Enfin elle connaissait son nom : Towner.

— Je repensais à une histoire drôle…

Liz ne prenait pas un gros risque. Il y avait peu de chances que le shérif lui demande de la lui raconter.

Et elle avait raison.

Alors qu'ils dépassaient le panneau de la

Chambre de Commerce, à l'extérieur de la ville, Liz vérifia le compteur du véhicule. Quand ils quitteraient la nationale, elle ferait de même.

Elle avait peine à croire que le shérif Valenti *en personne* allait trahir l'emplacement du complexe. Quelle ironie !

À moins que…

Le vrai garde y est peut-être déjà... Qui sait si Valenti n'est pas au courant ? C'est peut-être pour ça qu'il m'y conduit. Il doit me prendre pour un extraterrestre capable de modifier son apparence. Alors, il se fiche de me révéler la position du complexe, puisqu'il ne m'en laissera jamais ressortir.

Il sembla soudain à Liz que l'oxygène s'était raréfié. Et, pour ne rien arranger, l'air qu'elle respirait était saturé de sueur et de tabac.

Même si tu as raison, tu ne peux rien tenter… Tu ne peux pas sauter d'une voiture en marche et te sauver dans le désert ! Ce serait de la folie : Valenti n'hésiterait pas une seconde à te tirer dessus.

Ça n'avait rien de rassurant. Elle regarda la route. La nationale était déserte. Elle essaya de compter les traits de la ligne discontinue. Il fallait qu'elle s'occupe l'esprit ! Mais Valenti roulait trop vite.

Soudain, il donna un coup de volant à gauche et s'engagea dans le désert. Il s'orientait vers le rocher en forme de poulet.

Maria avait vu juste !

Après six kilomètres, ils passèrent le rocher. La voiture de patrouille continua en ligne droite.

Liz jetait sans cesse des coups sur le compteur. Cinq kilomètres. Dix-sept. Vingt-cinq. Trente-deux… Ils se dirigeaient vers une énorme formation rocheuse.

Il faut que je m'en souvienne. C'est un point de repère…

— Ouvrez la porte ! ordonna Valenti.

Liz eut le cœur au bord des lèvres. Bien sûr, pour le vrai garde, c'était pure routine… Il devait y avoir à bord une télécommande ou un objet de ce type.

Elle ouvrit la boîte à gants.

Les papiers du véhicule. Une paire de lunettes de soleil à miroirs. Deux lampes de poche.

— Combien de verres avez-vous bus, ce soir ? demanda Valenti.

— Je ne savais pas que je reprendrais du service, se défendit Liz.

Valenti lâcha un grognement méprisant. Il prit sur le tableau de bord un objet qui ressemblait à une télécommande de garage, avec quelques boutons en plus, et le lança à la jeune fille.

Choisis un bouton, n'importe lequel ! pensa Liz, affolée.

Elle appuya sur le bouton proche de son pouce. Rien ne se produisit. Elle jeta un coup d'œil à Valenti. Se doutait-il… ?

N'y pense pas ! Essaies-en un autre.

Toujours rien.

Elle recommença avec celui d'à côté… et le centre de la paroi coulissa.

Pas étonnant que Max et Michael aient passé

leur vie à chercher ce complexe sans jamais le trouver !

Malgré elle, Liz laissa échapper un petit cri. En se traitant mentalement de tous les noms, elle fit de son mieux pour le couvrir par une quinte de toux.

Valenti prenait-il note de tous ses faux pas ? Impossible de le savoir. Le shérif restait impassible. Elle aurait parié qu'il n'avait pas cillé au moment d'abattre Nikolas…

Évite ce genre de pensée !

Il ne fallait pas qu'elle imagine Valenti en train de tirer de sang-froid… Elle était assez nerveuse comme ça !

Je suppose que je suis censée refermer derrière nous…

Elle rappuya sur le bouton d'ouverture. À une vitesse surprenante, la porte se referma… arrachant un des feux arrière.

— Désolée…

— Ce n'est pas grave. Je le déduirai de votre salaire.

Désolée, Towner, pensa Liz tandis que la voiture s'enfonçait dans les entrailles de la terre.

Valenti avait placé son véhicule sur un élévateur qui les amena dans un parking souterrain. Le shérif se gara sur une place marquée « réservé ».

Il descendit de voiture et partit devant.

Il remonta un long couloir. Probablement celui qu'avait vu Maria la nuit où elle s'était servie de la Pierre de Minuit pour l'espionner…

Liz était si près du but ! Le vaisseau spatial pouvait être n'importe où…

Au bout du corridor, ils atteignirent une porte en métal. Valenti pianota son code. Le battant s'ouvrit et ils entrèrent dans une salle. De chaque côté, il y avait une rangée de cellules vitrées, avec un lit. L'un d'eux était fait.

Liz sentit un frisson glacé remonter le long de sa moelle épinière. Était-ce là que seraient amenés Max, Michael et Isabel si Valenti apprenait un jour la vérité sur eux ? Les garderait-on prisonniers dans ses cages de verre, comme des animaux de laboratoires, toujours sous surveillance ?

Le shérif traversa la salle sans adresser un mot aux gardes postés de part et d'autre de la porte de la cellule qui, semblait-il, avait été récemment occupée. Il ouvrit une porte plus petite et la tint pour Liz.

— On vous donnera vos instructions dans quelques instants, dit-il.

Dès qu'elle eut franchi le seuil, il referma la porte.

Il n'y avait rien dans la pièce sinon une table métallique et une chaise pliante. Liz s'assit et patienta. Au moins, on allait lui donner des instructions. C'était bon signe. Personne ne s'attendait à ce qu'elle sache quoi faire.

— Towner, lança une voix dans l'interphone, ce soir, il vous suffira de nous dire tout ce qui se produit dans la pièce où vous êtes.

Liz se tortilla sur la chaise pliante, à la recherche d'une position plus confortable.

« Tout ce qui se produit dans la pièce où vous êtes… »

Elle n'aimait pas trop les implications de cette phrase. En quoi consistaient les expériences ? Elles devaient être liées aux extraterrestres, non ? Ou était-ce une des fonctions du Projet Table Rase ?

Et si ces tests servaient à déterminer les effets d'une nouvelle arme biologique ? Un truc comme un virus intelligent, par exemple…

Trop tard pour s'en inquiéter. La jeune fille était presque certaine que Valenti avait fermé la porte à clé. Et même dans le cas contraire…

Il se passait quelque chose. Liz s'éclaircit la gorge.

— Euh… je vois une sorte de bulle, à hauteur de mes yeux. L'air est comme iridescent. Elle a la taille d'un ballon de basket-ball.

Liz agrippa le bord de la table, impatiente de découvrir la suite.

— Je vois une image. On dirait un hologramme. Un homme, assis dans un restaurant à la mode, avec des nappes blanches et des chandelles. Des violons. Le client est excité. Nerveux. Heureux. Tout ça en même temps.

Liz ignorait comment, mais elle percevait les émotions de l'inconnu.

C'est comme ce qu'a décrit Max quand Ray leur a montré le crash du vaisseau spatial !

Et pourquoi pas ? Les scientifiques du Projet

Table Rase avaient peut-être réussi à dupliquer la… technologie… – le mot n'était sans doute pas approprié – extraterrestre.

Liz se détendit. Elle s'en sortirait haut la main ! Il lui suffisait de regarder un « écran flottant ». Et avec un peu de chance, elle apercevrait le vaisseau en sortant.

— Rien d'autre ? demanda-t-on dans l'interphone.

Liz étudia l'hologramme.

— Il s'apprête à demander sa petite amie en mariage… Mais j'ignore comment je le sais. Je n'entends pas ses pensées.

L'hologramme disparut.

Zut ! Je ne saurais jamais ce qu'elle a répondu, pensa Liz.

La jeune fille sentit sa tête tourner.

La bulle iridescente se reforma en face d'elle.

Oh…

L'heure de la deuxième séance avait sonné. Liz se demanda comment réagiraient ses interlocuteurs – qui puissent-ils être – si elle demandait du pop-corn.

Avec l'arôme artificiel de beurre !

— Oh, j'ai oublié de le signaler, dit-elle soudain, mais l'air est redevenu iridescent.

Elle ne voulait pas que Towner ait trop de problèmes par sa faute.

— L'hologramme est réapparu. Un autre restaurant. Je le connais. Le *Crashdown Café*. Deux hommes, assis dans un box.

Liz faillit avoir un arrêt cardiaque. Elle les avait déjà vus… le jour où on lui avait tiré dessus !

Le jour où elle avait été blessée, ces deux types étaient au *Crashdown Café*. Ils se disputaient. Le plus musclé avait sorti une arme… Il l'avait pointée sur son interlocuteur, qui lui avait pris le poignet pour le bloquer. Le coup était parti…

… Et Liz avait percuté le mur derrière elle, le sang jaillissant de son ventre et souillant son uniforme.

— Continuez, fit la voix dans l'interphone.

— Les deux types sont en colère, dit Liz, essayant de paraître naturelle. Chacun pense que l'autre l'a arnaqué de quelques billets…

Elle revit le costaud sortir son arme. Et le coup de feu partir.

— Le plus musclé vient de tirer sur une serveuse, continua Liz. Je sens sa douleur.

C'était la vérité. Elle ressentait la douleur dont elle avait fait l'expérience. La même que ce jour-là. Exactement la même…

Oh, Dieu !

Liz fournissait la matière première à l'hologramme. On aurait dit que sa mémoire s'était rembobinée comme une cassette.

Comme quand Ray avait montré le crash du vaisseau spatial à Max et à Michael ! C'était sans doute pour ça qu'elle s'était sentie bizarre, comme prise de vertige.

Quelqu'un avait fouillé dans son cerveau !

Et ça signifiait que l'hologramme allait lui montrer Max en train de sauter par-dessus le comptoir pour venir se pencher sur elle… Et guérir sa blessure en posant les mains sur la plaie béante.

Liz cria.

— Arrêtez ça ! J'ai l'impression qu'on m'enfonce un fer rouge dans les orbites… Par pitié, arrêtez !

L'hologramme disparut.

Valenti rouvrit la porte.

Pliée en deux, Liz gardait les paumes de ses mains pressées sur ses yeux. Le shérif était-il dupe de sa petite comédie ? Ou voyait-il clair dans son manège ? Allait-il la mettre à la torture ?

Lentement, comme si elle hésitait, Liz laissa retomber ses bras.

— Bon sang, que s'est-il passé ?

— C'est à vous de me le dire ! beugla Liz. J'ai cru que ma tête allait exploser. Mon contrat ne prévoit pas ce genre d'inconvénients !

— Je vous fais raccompagner. Mais priez pour que je ne découvre pas que ces symptômes sont dus à l'alcool que vous avez ingurgité !

Elle passa devant lui pour sortir. Valenti la suivit du regard. D'évidence, il avait le sentiment que quelque chose ne tournait pas rond… mais quoi ?

Ferait-il le lien quand Liz et ses amis reviendraient voler les cristaux ?

CHAPITRE XIV

Maria sentit des larmes lui brûler les paupières.

Je suis un vrai petit rayon de soleil, non ? ironisa-t-elle.

Si elle continuait comme ça, Max la chasserait à jamais de sa chambre. Elle voyait que ses pleurs le mettaient mal à l'aise.

Oh, elle ne lui en voulait pas de réagir ainsi. C'était comme si elle s'était promenée avec une pancarte : « *Tu sais quoi, Max ? Tu vas mourir !* »

Max avait l'air mal en point. Les autres aussi l'avaient remarqué. Liz, Isabel et Michael lui jetaient des coups d'œil discrets. Ils faisaient de leur mieux pour ne pas le dévisager, mais c'était difficile.

Quand Alex entra dans la chambre, Maria accueillit cette diversion avec joie.

— Désolé d'être en retard, dit-il à la cantonade. Vous n'allez sans doute pas me croire, mais mon père a refusé que je sorte avant que je lui aie montré mon site Internet…

— Nous essayons de trouver un moyen de nous

infiltrer dans le complexe, coupa Michael. Qu'en penses-tu ?

La sonnette de la porte d'entrée retentit.

— J'y vais ! lança Maria.

Elle se précipita. Dès qu'elle fut à l'abri des regards, elle sortit de sa poche un flacon d'huile essentielle de cèdre. Son aromathérapie ne l'avait guère soutenue, ces derniers temps. Mais c'était mieux que rien.

Maria inhala profondément avant de fourrer la fiole dans sa poche et d'ouvrir.

C'était Ray Iburg.

— Nous sommes dans la chambre de Max, dit-elle, passant devant pour lui montrer le chemin.

— J'ai pensé qu'une source de pouvoir supplémentaire ne serait pas du luxe...

— Génial ! s'exclama Michael. Nous pourrions effectivement avoir besoin d'un truc comme l'écran que tu as créé autour du centre commercial.

Ray secoua tristement la tête.

— Je ne suis pas assez « rechargé » pour réussir un coup pareil. Ça nécessite une énorme dépense d'énergie. Cet exploit n'est pas envisageable avant au moins un mois... Mais je pourrai rendre quelqu'un inconscient au besoin.

— C'est toujours ça, dit Michael. D'accord, ce sera donc Isabel, toi et moi.

Le jeune homme était passé en mode commando, concentré sur la stratégie.

Pour une fois, Maria n'eut pas à se demander s'il

pensait à Isabel ou à elle. Il avait d'autres chats à fouetter.

— Attends, Michael ! Je veux venir..., protesta Alex.

— Tu n'as pas de pouvoirs pour te protéger, coupa Michael.

Son ami eut l'air résigné. Il comprenait.

Maria trouva logique le raisonnement de Michael. Et cela lui rappela pour la énième fois qu'Isabel était plus proche de Michael qu'elle ne le serait jamais. Michael et Isabel avaient les mêmes pouvoirs et la même histoire. Michael et Maria partageaient un intérêt commun pour les films d'horreur nuls. La question : « *quelles sont les meilleures bases pour une relation solide ?* » ne se posait pas.

— Pourquoi l'un de vous ne se métamorphose-t-il pas en shérif Valenti ? demanda Liz. C'est lui qui commande le complexe. Comme ça, vous auriez accès à toutes les zones.

— J'adore ce plan ! fit Michael. Tu es géniale, Liz, merci.

— Toi et moi devrions aussi modifier nos apparences, dit Ray à Isabel. Quand on se lancera à notre poursuite, nous aurons « disparu ».

— Avant de partir, assurons-nous que Valenti n'est pas au complexe, dit Alex. Je vais appeler chez lui.

Le jeune homme sortit.

Max prit une grande inspiration, moitié halètement, moitié sifflement. Respirer semblait si douloureux que Maria se demanda comment il réussirait à le supporter.

Et s'ils échouaient ou ne revenaient pas à temps ? Cette pensée la minait…

Alex revint en courant.

— Il est chez lui ! Je ne comprends pas pourquoi, mais il ne m'a pas paru très heureux de recevoir l'appel d'un représentant, un dimanche matin.

— Tu devrais te mettre en planque devant sa maison, suggéra Michael.

— Je l'accompagne ! dit aussitôt Maria.

Elle ne pouvait pas rester avec Max. Son aura était trop marquée par le chagrin et cela lui faisait mal.

— Et que ferez-vous s'il se dirige vers le complexe ? demanda Liz. Vous n'avez aucun moyen de prévenir Michael.

— Je l'arrêterai, assura Alex avec une belle conviction.

Maria l'en croyait capable. Alex avait un esprit de commando… même s'il le niait, n'ayant aucune envie d'intégrer l'armée.

— Allons-y ! lança-t-il à la jeune fille.

Maria lui emboîta le pas. À la porte, elle ne put s'empêcher de se retourner. Ses yeux cherchèrent Michael.

Elle le voyait peut-être pour la dernière fois.

Liz baissa les yeux sur Max.

Le jeune homme s'était assoupi et dormait d'un

sommeil agité. Pour la première fois depuis le début de l'affaire, elle put étudier les changements survenus en lui.

Elle nota chaque détail, même insignifiant, comme si elle était en TP de biologie. Raisonner ainsi l'aidait un peu.

La peau du jeune homme pelait par endroits. Il avait les lèvres sèches et craquelées, les yeux profondément enfoncés dans les orbites, les joues creuses, le cou…

Arrête ! pensa-t-elle. *Cesse de le réduire à ces petits bouts de chair martyrisée. C'est Max, bon sang ! Le garçon dont tu es amoureuse…*

Liz lui prit la main. Avait-il conscience de sa présence ? Ce contact avait-il pénétré dans ses rêves ?

Je l'espère…

Elle consulta sa montre.

Michael, Isabel et Ray devraient bientôt atteindre le complexe. Combien de temps leur faudrait-il pour trouver les cristaux ? À supposer qu'ils les récupèrent rapidement, ne serait-il pas quand même trop tard ? La détérioration de l'état de Max s'accélérait…

Il lui faussait compagnie et elle était impuissante à le retenir. Elle lui serra la main. Mais elle avait besoin d'être encore plus proche de lui.

Elle retira ses chaussures pour s'allonger à côté de Max. Elle passa un bras en travers de sa poitrine et enfouit son visage contre son épaule.

— Je t'aime, murmura-t-elle.

Il était si froid… Comme si son corps ne produisait plus de chaleur. Elle se blottit contre lui, cherchant à lui communiquer la sienne.

— Je t'aime, Max ! M'entends-tu ? Reste avec moi ! Je t'interdis de me quitter !

Elle passa le bras de Max autour d'elle. Il était lourd et sans tonus.

Sans vie. Comme le bras d'un cadavre…

Liz se redressa vivement. Elle posa deux doigts sur les lèvres de Max, qui laissaient échapper un souffle tiède.

En remontant la couette sur lui, elle tapota son oreiller… et sentit un objet.

Son bracelet en argent !

Sous ses yeux, Max l'avait fait fondre par la seule force son esprit le jour où il lui avait révélé son secret : il était un extraterrestre. Il l'avait ainsi convaincue qu'il disait la vérité.

Elle l'avait regardé faire, terrifiée. Oui, elle avait eu peur de Max… Quand il avait rendu au bracelet son état premier et s'était approché d'elle, Liz avait pris ses jambes à son cou.

Et il l'a gardé…

Depuis qu'ils avaient « rompu », sans doute. Il avait même dormi avec, le cachant sous son oreiller. Liz laissa courir son pouce sur le bijou. Des larmes lui montèrent aux yeux.

Mais Max n'avait pas besoin que ses états d'âme viennent troubler ses rêves. Une Liz faible et gémissante ne lui servirait à rien. Non… Elle devait se montrer forte pour deux et le forcer à s'accrocher à la vie.

La jeune fille sortit de la chambre et se précipita dans la salle de bains, s'y enfermant à clé. Assise sur le rebord de la baignoire, elle sanglota.

Puis elle s'aspergea d'eau froide et s'essuya sans douceur.

Levant les yeux, elle croisa son regard dans le miroir de l'armoire à pharmacie.

— Assez ! Max a besoin de toi.

Elle ressortit d'un pas décidé.

Max s'était réveillé. S'éclaircissant la gorge, il grimaça.

— Ai-je rêvé… ou tu étais couchée près de moi, il y a quelques instants ?

Elle sourit.

— Tu n'as pas rêvé.

— Ce n'est pas… ainsi que je l'avais imaginé.

Parler exigeait de Max de terribles efforts. Des gouttes de sueur ruisselaient sur son visage.

— Ne t'inquiète pas, ce sera différent la prochaine fois, promit Liz.

Elle espérait de tout son cœur que ce n'était pas un mensonge.

CHAPITRE XV

— D'après Liz, les employés du complexe ont une télécommande pour ouvrir la porte, dit Michael qui conduisait la voiture louée par Ray pour l'occasion. Nous n'en avons pas…

En mettant au point son plan, le jeune homme n'avait pas pensé à une chose : les agents du Projet Table Rase devaient avoir les moyens de retrouver une voiture aussi facilement qu'une personne. Voire davantage. Heureusement, Ray avait eu la bonne idée de louer un véhicule sous une de ses anciennes identités. Depuis qu'il était obligé de rester sur Terre, l'extraterrestre en avait changé plusieurs fois.

— Je suis sûr qu'ils ont des caméras de surveillance, répondit-il. Nous allons donc nous arranger pour qu'ils te voient. N'oublie pas que tu as l'apparence de Valenti. L'un d'eux s'empressera de nous ouvrir…

Ce stratagème convenait à Michael. Être le clone de Valenti avait quelques avantages. Mais chaque fois qu'il croisait son propre regard gris dans le rétroviseur, ça lui fichait une trouille… bleue…

Michael aussi avait les yeux gris. Mais c'était Valenti qui lui renvoyait son regard.

Valenti, l'homme qui voulait le voir mort ou enfermé dans une des cellules dont Liz avait parlé, afin de servir de cobaye pour le restant de ses jours…

— Comment te sens-tu, Izzy ? demanda-t-il en jetant un coup d'œil à la jeune fille par-dessus son épaule. Pas trop nerveuse ?

— Ça va, murmura-t-elle.

Sa réponse n'était pas convaincante. Et Michael comprenait son malaise. Se trouver à ses côtés alors qu'il avait l'apparence de Valenti… Il y avait de quoi s'affoler ! Toute sa vie, Isabel avait fait des cauchemars au sujet du shérif. Il était l'incarnation de ses peurs les plus profondes, liées à la découverte de sa véritable nature.

— Tu ne me demandes pas si je vais bien ? plaisanta Ray.

— Vous avez intérêt… Parce que nous sommes arrivés.

Il s'arrêta devant la paroi rocheuse, descendit de voiture et s'efforça de paraître passablement ennuyé. Il fallut un instant pour que ceux qui étaient à l'intérieur réagissent et ouvrent.

— Bienvenue dans la Bat Cave, murmura Michael en se remettant au volant.

Il alla se placer sur l'élévateur dont Liz avait parlé. Puis, quand ils furent arrivés en bas, il se gara sur la place marquée « réservé ». Il était Valenti, après tout. Le grand manitou du complexe.

Un garde vint à leur rencontre dès qu'Isabel, Ray et lui descendirent de voiture.

— Nous ne vous attendions pas avant ce soir, monsieur.

— C'est pour ça que je suis là, répondit Michael. J'avais envie de savoir comment les choses se déroulent quand je ne suis pas attendu…

Il ne prit pas la peine de présenter Ray et Isabel. Il y avait fort à parier que Valenti ne se justifiait jamais devant un subalterne.

Le plan de Liz se déroulait à la perfection.

Il suffisait à Michael de prétexter une inspection surprise. Ou, mieux encore, de vouloir faire une visite guidée du complexe pour ses deux compagnons.

Ils auraient ainsi accès à toutes les installations…

Le garde était sans doute prêt à se mettre en quatre pour satisfaire les désirs de Valenti.

— Je veux montrer le vaisseau à mes associés, dit-il.

Mes associés…

Michael aimait les implications de ce mot. Il avait cette touche de mystère et ce petit quelque chose : « *Vous êtes trop insignifiant pour connaître leurs identités* ».

La faculté de changer d'apparence est… utile. Et

si je m'amusais à me métamorphoser en Valenti pour faire peur aux gens, sur la route ?

Le jeune homme se surprenait lui-même. Ça ne lui ressemblait pas. Mais il semblait être dans un état second. Il allait enfin voir le vaisseau spatial qui avait amené ses parents sur Terre ! Il avait passé une partie de sa vie à le chercher et il était là, tout près…

Le garde hocha la tête. Puis il les guida à travers un labyrinthe de couloirs en béton. De temps à autre, il s'arrêtait pour taper un code d'accès. Quand ils arrivèrent devant une grande porte de métal, l'homme recula pour laisser la place à « Valenti ». Il attendait quelque chose de lui, mais Michael n'avait pas la moindre idée de ce que c'était.

— S'il vous plaît, dit une voix féminine automatisée, avancez jusqu'à la ligne rouge et ôtez vos lunettes de soleil pour le scanner rétinien.

Michael obéit. Ses yeux ressemblaient à ceux de Valenti. Mais ses rétines n'étaient certainement pas les répliques exactes de celles du shérif. Ça, c'était impossible.

Un pinceau lumineux balaya son œil.

— Individu non identifié, annonça la voix. Accès refusé.

Le garde sortit un talkie-walkie de la poche arrière de son pantalon et prononça quelques mots à voix basse.

Ça y est, nous sommes démasqués.

Ils étaient foutus… à moins de passer très vite à l'action.

Ray se posta derrière l'homme, prêt à l'assommer. Isabel semblait prête à attaquer tout le personnel, vu la manière dont elle serrait les poings.

Eh bien, que la fête commence ! pensa Michael.

La porte s'ouvrit.

— Je vais tout de suite faire réparer cette panne, assura le garde, rouge d'embarras.

Était-ce vraiment aussi facile ? Quoi qu'il en soit, Michael n'avait pas l'intention de s'en plaindre.

— Bonne initiative…

Il franchit le seuil, Ray et Isabel sur ses talons.

Le vaisseau était là, devant eux. En forme d'aile delta de métal lisse, il était plus petit que Michael l'aurait cru. Mais le jeune homme n'en avait pas moins le souffle coupé.

Le navire venait d'une planète lointaine, dans une galaxie pour laquelle les humains n'avaient pas de nom. Il avait amené ses parents jusqu'ici. Et ils y étaient morts alors qu'ils se préparaient au voyage de retour…

Michael aurait pu se tenir là pendant des heures. Une technologie extraordinaire ! Le jeune homme ne voyait ni joint, ni soudure, ni rivet, ni boulon… Rien. Ajouté à sa forme, cela en faisait un modèle d'aérodynamique. Mais le métal restait le plus surprenant. À certains endroits, il semblait presque… liquide.

Comme s'il était vivant.

Isabel lui flanqua un coup de coude.

— Nous avons un emploi du temps serré, shérif, dit-elle.

— Exact.

Michael avança vers le vaisseau d'une démarche décidée, puis ralentit le pas, hésitant. Où étaient les portes ? Il ne voyait pas de poignée...

Ray tendit une main et toucha un cercle en léger relief. Une porte apparut. Isabel prit une profonde inspiration et entra.

— Vas-y, chuchota Ray à Michael.

Le jeune homme obéit. Au fil des ans, il avait presque perdu tout espoir. Mais il avait retrouvé le vaisseau et il était à bord !

Il laissa courir le bout de ses doigts sur la cloison la plus proche.

Soudain, il tomba à genoux, recroquevillé sur lui-même. Une douleur atroce le déchirait de l'intérieur. Elle venait de Max, plus forte que tout ce qu'il avait connu...

— Shérif Valenti ? cria un garde. Que se passe-t-il, monsieur ?

Michael entendit un bruit de pas précipités et vit des bottes entrer dans son champ de vision alors qu'une nouvelle vague de douleur le terrassait. Il sentit son visage... bouger. Se tordre. Il ne pouvait plus maintenir l'illusion...

Le garde saisit Michael par l'épaule... et vit son visage.

Son visage, pas celui de Valenti.

— Il se passe quelque chose ! cria Alex à Maria.

Valenti venait de sortir précipitamment de chez lui, furieux. Et ce n'était pas la contrariété d'un homme qui avait oublié de passer au supermarché…

— Que faire ? gémit la jeune fille.

— Le suivre, bien sûr !

Peut-être a-t-il découvert que sa maîtresse le trompe, pensa-t-il alors qu'il attendait que la voiture de police ait dépassé leur planque.

Ou Kyle s'est fait arrêter pour avoir fumé un joint dans l'enceinte du lycée.

Mais c'était peu probable. Ce serait une drôle de coïncidence que cela arrive pendant qu'Isabel, Michael et Ray pénétraient par effraction dans le complexe du Projet Table Rase…

— Vas-y ! cria Maria. Nous allons le perdre !

— Laisse-moi faire, d'accord ? répondit Alex. Je ne veux pas qu'il nous repère.

Il attendit encore quelques secondes, le temps qu'une autre voiture s'intercale entre le shérif et eux, puis il démarra.

Valenti fonçait vers la sortie de la ville.

— Il va au complexe ! cria Maria. Alex, tu as dit que tu l'arrêterais ! Pourquoi ne fais-tu rien ?

— J'attends que nous soyons hors de l'agglomération. En ville, ce serait trop dangereux. Je ne veux pas prendre le risque de tuer quelqu'un !

— D'accord… D'accord… Désolée. Je n'avais pas l'intention de crier. C'est juste que je…

— Oui. Moi aussi.

Alors qu'ils approchaient de la sortie de la ville,

Alex garda les yeux rivés sur l'arrière du véhicule de Valenti. Il n'avait pas le moindre doute sur sa destination, mais mieux valait être prudent.

— Je vais rouler à sa hauteur. Quand nous y serons, crie… n'importe quoi ! Qu'il y a eu un vol à main armée ou quelque chose dans ce genre-là. Ça suffira peut-être. Le Projet Table Rase est une organisation secrète, et Valenti doit jouer les vrais shérifs.

Maria hocha la tête.

— Je suis prête !

Alex enfonça l'accélérateur et amena sa voiture à côté de celle de Valenti. Maria, qui avait baissé sa vitre, se pencha dehors et cria :

— Il y a eu un vol à main armée au *7-Eleven* ! Le propriétaire a été blessé… On a besoin de vous là-bas !

La jeune fille rentra la tête.

— Il ne s'est même pas retourné… Pourtant, il a dû me voir, non ?

— Bon, mettons le plan B à exécution.

— Ce qui veut dire ?

— Je n'en sais encore rien… Mais tu ferais bien de lever ta vitre et de boucler ta ceinture de sécurité, au cas où…

Dès que Maria fut attachée, Alex donna un grand coup de volant à droite. Avec un froissement métallique, la Rabbit percuta la voiture du shérif.

Ah, ils avaient enfin attiré l'attention de Valenti… Celui-ci riposta, envoyant la Volkswagen dans le décor.

Alex crut que Valenti allait en profiter pour les semer.

Mais ce n'était pas son genre. Il fit demi-tour et fonça sur la Rabbit.

— Accroche-toi ! cria le jeune homme à sa compagne. Il va nous rentrer dedans !

Une seconde plus tard, la voiture de Valenti les percuta de plein fouet. Sans perdre de temps, le shérif recula... Il prenait de l'élan pour recommencer !

Alex n'avait aucune chance de se tirer de ce mauvais pas. Et encore moins de manœuvrer pour rendre la pareille à son adversaire.

Le jeune homme agrippa le volant ; la petite Rabbit encaissa un deuxième impact.

— L'arroyo ! cria Maria alors que Valenti reculait pour les emboutir de nouveau. Il a l'intention de nous pousser dans l'arroyo !

Le canyon était étroit et peu profond... mais l'atterrissage serait douloureux. Et une fois expédiés au fond, les jeunes gens n'auraient plus une chance d'arrêter Valenti.

Alex lâcha un juron et enfonça la pédale de l'accélérateur en tournant le volant à gauche.

Trop tard. La voiture du shérif leur rentra dedans. Et la Rabbit s'envola...

La douleur qu'Isabel ressentait reflua lentement, puis disparut. Que fallait-il en déduire ? Si elle ne partageait plus les souffrances de Max, cela signifiait-il... que son frère était mort ?

Va chercher les cristaux ! s'exhorta-t-elle. *C'est tout ce que tu dois faire pour l'instant.*

Elle traversa en courant le couloir étroit du vaisseau spatial, ses pas précipités faisant crisser l'alliage métallique du sol.

Ray avait dit que les cristaux étaient conservés dans une niche, sous le panneau de contrôle. Mais où se trouvait celui-ci ? Et où étaient donc passés Ray et Michael ?

Elle ne pouvait pas prendre le risque de revenir sur ses pas. Elle était l'unique espoir qui restait à Max.

Si elle avait un plan du vaisseau ! Il était plus grand qu'elle ne l'aurait cru. Des coursives partaient dans tous les sens. Comment s'orienter dans ce dédale ? Elle pouvait s'être déjà précipitée dans la mauvaise direction. Mais ce couloir-là était un peu plus large que les autres…

Il déboucha dans une grande salle munie de baies. Impossible de voir à travers, cependant. Peut-être était-ce un mécanisme de camouflage. Isabel regarda autour d'elle. Rien qui ressemblât à un panneau de contrôle.

Elle n'était pas au bon endroit.

Deux coursives partaient de la salle d'observation. Laquelle était la bonne ? Elles semblaient en tout point identiques.

Isabel choisit la première. Tête baissée, elle la traversa en courant et aboutit dans une autre salle… où quelque chose ressemblait à un panneau de contrôle.

Dieu merci…

Et maintenant, où étaient les niches dont avait parlé Ray ? La jeune fille ne voyait rien qui corresponde à cette description. Elle avança vers le panneau de contrôle et passa une main dessous, faisant courir le bout de ses doigts sur le métal lisse. Sentant une légère dépression, elle appuya.

Une niche apparut. Vide.

Isabel entendit un bruit de pas derrière elle.

— Ah, enfin ! appela-t-elle. J'ai vraiment besoin d'aide !

Elle trouva une autre dépression et appuya si fort dessus qu'elle se cassa un ongle.

Soudain, elle se figea. Si les pas continuaient d'approcher, personne ne lui avait répondu. Elle sentit un frisson glacé lui courir le long de l'échine. Qui que cela puisse être, ce n'était ni Michael ni Ray…

Oh, ça, c'était intelligent ! Pourquoi n'as-tu pas fléché le chemin jusqu'à toi ?

La jeune fille glissa les deux mains sur la surface lisse, cherchant frénétiquement une autre dépression. Elle en trouva une et appuya dessus. Toujours pas de cristaux.

Le bruit de pas était proche. Très proche.

Isabel continua d'explorer la surface métallique, ses doigts moites laissant des traces humides. Elle sentit un creux. Le cœur battant, elle appuya dessus.

Et vit trois cristaux scintiller doucement à la faible lumière du vaisseau. Elle les arracha de leur cachette et les fourra vivement dans ses poches.

— Ne bougez pas ! ordonna une voix. Posez les mains sur votre tête !

Isabel leva les bras et se retourna lentement. Un garde se tenait devant elle. Armé d'une mitrailleuse…

La jeune fille jeta un coup d'œil à gauche, puis à droite. Il y avait deux autres couloirs. Serait-elle capable d'en atteindre un à temps ? Ou était-ce le meilleur moyen de prendre une balle entre les omoplates ?

— Venez par ici ! Et gardez les mains en l'air ou je n'hésiterai pas à vous abattre !

Isabel fit ce qu'il demandait. Elle devrait le rendre inconscient en s'approchant assez pour établir un contact physique.

Avait-il de bons réflexes ? Pouvait-il appuyer sur la détente en moins de temps qu'il n'en fallait à Isabel pour trouver une veine de son cerveau et la pincer ?

Au moins, elle avait toujours son apparence d'emprunt. Et, mieux encore, elle était plutôt agréable à regarder. D'accord, elle était moins belle que d'habitude, mais encore assez pour troubler le garde. Et les hommes avaient toujours tendance à négliger le fait qu'une jolie fille pouvait être dangereuse.

C'était un tort !

Encore deux pas et elle serait assez près de l'homme pour le toucher. Isabel fit trembler légèrement sa lèvre inférieure, un truc qu'elle avait appris à utiliser dès le cours moyen première année. Avec un peu de chance, le garde la croirait terrifiée et sans défense…

Espérons que ça marchera. Sinon, l'un de nous deux quittera le complexe les pieds devant…

La jeune fille fit un pas de plus, puis feignit de trébucher. Réagissant d'instinct, le garde tendit les bras pour la retenir. Sa main toucha celle d'Isabel, qui établit aussitôt la connexion.

Un flot d'images… Puis tout s'évanouit dans un tourbillon coloré. Elle entendit le cœur du garde aligner son tempo sur le sien. Sans perdre de temps, elle commença à explorer son corps.

Leur corps.

Elle choisit une veine et appuya sur les molécules. Elle sentit la douleur et la surprise du type, mais ne relâcha pas la pression. Pas avant qu'il ne se soit affaissé sur le sol, inconscient…

Isabel l'enjamba et retourna en courant vers la salle d'observation. Prenant le couloir le plus large, elle le remonta à toutes jambes.

Alors qu'elle arrivait au bout du couloir, elle s'arrêta et se plaqua contre la paroi. Elle entendait un bruit de lutte… Approchant doucement de l'arche menant à la sortie, elle risqua un coup d'œil. Son cœur cessa de battre, puis cogna – deux coups rapides et douloureux –, dans sa poitrine.

Ray et Michael se défendaient contre cinq gardes armés de lasers électriques qu'ils maniaient comme des aiguillons à bétail pour tenir les deux hommes en respect. Allongé sur le sol, un garde ne bougeait plus. Constatant que les deux intrus étaient capables d'assommer un homme d'un simple contact, ils voulaient s'éviter pareille mésaventure.

Isabel hésitait, dansant d'un pied sur l'autre.

Que faire ? Prendre ses jambes à son cou ? C'était sans doute sa seule chance de s'échapper. Si elle aidait Michael et Ray, elle ne sauverait sans doute pas Max. Et les deux extraterrestres luttaient dos à dos... Ils n'avaient pas vraiment besoin d'elle.

Je n'ai pas le choix.

Elle devait les abandonner.

Isabel regarda la grande porte de métal, la seule issue du hangar. Puis elle s'élança.

Les gardes la virent-ils quitter l'engin spatial ? Elle n'aurait su le dire. En tout cas, ils ne se lancèrent pas à sa poursuite. Elle remonta les couloirs, les uns après les autres.

Au détour d'un embranchement, elle se figea.

Valenti !

Le shérif lui barrait le chemin... Et il braquait son arme de service sur elle. Ses yeux froids comme l'acier croisèrent ceux de la jeune fille.

L'instant qu'Isabel avait redouté toute sa vie. Celui où le loup viendrait pour l'emporter dans sa tanière...

Mais elle ne le laisserait pas la prendre vivante !

— Je ne veux pas vous tuer, dit Valenti. Soyez

raisonnable. Ne tentez rien que vous pourriez regretter.

Bien sûr qu'il ne voulait pas la tuer ! Elle avait beaucoup plus de valeur vivante que morte. Mais s'il voulait l'avoir, il serait obligé de revoir ses prétentions à la baisse, car il n'aurait qu'un cadavre !

Ne fais pas l'imbécile, souffla une petite voix dans sa tête. *Laisse-le te capturer. Michael et Ray sont juste derrière toi. Tu le sais. Et Michael ne t'abandonnera jamais entre les mains de Valenti…*

Mais il pouvait mourir et Ray aussi.

Et Isabel serait prisonnière de Valenti… À sa merci.

Cette dernière pensée l'aida à prendre sa décision. Avec un cri de rage et de désespoir, elle se jeta sur le shérif.

— Arrêtez ! cria-t-il. N'avancez plus !

— Arrête ! cria une autre voix.

Une main rattrapa Isabel par le col de son chemisier. Elle se retourna.

Ray !

— Ne tirez pas ! dit-il au shérif. Nous ne ferons pas un pas de plus.

Ray allait la livrer à Valenti ! Et le shérif l'examinerait… Il pratiquerait des expériences sur elle. Puis il la disséquerait…

Jamais !

Isabel se dégagea et bondit.

Ray s'interposa. Un coup de feu retentit. Il s'effondra, les tourbillons bleus et verts de son aura devinrent instantanément noirs…

Oh, mon Dieu, non... !

Ray était mort.

Isabel ne voulait pas que Valenti mette la main sur son cadavre.

Mais Ray était mort. Et Max, lui, vivait toujours.

La jeune fille dépassa le shérif en courant, le bousculant presque. Au bout du couloir, il y avait une autre double porte métallique. Elle la franchit plus vite qu'elle s'en serait crue capable, puis mentalement, elle réussit à refermer les lourds battants derrière elle.

Ce n'est pas suffisant ! pensa-t-elle.

Valenti n'aurait aucun problème à rouvrir cette porte. Et il la rattraperait en moins de temps qu'il n'en fallait pour le dire.

Isabel n'avait qu'une envie : fuir. Sa vie et celle de Max en dépendaient.

Mais elle inspira profondément, luttant contre le besoin viscéral de détaler, et se força au calme. Elle continua de se concentrer sur les molécules de la porte.

Le métal, brûlant, commença à fondre. Alors seulement, elle arrêta. La porte refroidit très vite.

Mais les battants resteraient soudés l'un à l'autre.

Michael pourrait les ouvrir quand il atteindrait la porte. Tout autre que lui aurait besoin d'un chalumeau.

Bien, pensa Isabel. *Tu es de nouveau capable de réfléchir. Ça te permettra de sortir du complexe et de retrouver ton frère...*

Elle s'adossa à la paroi et mit les mains sur son

visage. Elle sentit sa peau et ses os remuer sous ses doigts tandis qu'elle changeait d'apparence pour devenir le garde qu'elle avait « assommé ».

Puis elle reprit son chemin sans courir. Calmement, elle rejoignit le parking souterrain, monta dans la voiture de location et prit l'élévateur jusqu'au niveau supérieur.

Quelques minutes plus tard, elle roulait à tombeau ouvert dans le désert.

— Tiens bon, Max ! murmura-t-elle. Je serai bientôt là…

— Tiens bon, Max ! cria Liz. Tu dois tenir le coup encore un peu. Michael, Isabel et Ray seront vite de retour avec les cristaux.

— Max, Liz a raison ! renchérit Alex. Tu ne peux pas nous quitter maintenant. Tu me dois une nouvelle voiture. Avec des airbags ! Ces petites merveilles sont l'unique raison qui nous a permis, à Maria et à moi, de revenir vous raconter notre histoire.

Max entrouvrit les lèvres… Le son qui s'en échappa ressemblait à un chuintement.

Est-ce ça qu'on appelle un râle d'agonie ? se demanda Liz, le cœur serré.

Non ! Max respirait toujours, sa poitrine se soulevant et s'abaissant à peine. Chaque respiration était terrible à voir.

Et à entendre.

— Ne devrions-nous pas l'aider à s'asseoir ? demanda Maria. Pour qu'il respire mieux ?

Liz ne savait plus à quel saint se vouer.

Faire venir une ambulance ? Les infirmiers lui donneraient de l'oxygène. Mais ils insisteraient pour l'emmener à l'hôpital... Et si Michael, Isabel et Ray revenaient avec les cristaux, Max ne serait plus ici.

Sans les cristaux, il mourrait, que ce soit à l'hôpital ou ailleurs.

— Liz, souffla Max.

— Je suis là. N'essaie pas de parler. Économise tes forces.

— Je... t'aime.

Ses paupières se fermèrent.

— Non ! cria Liz.

Elle l'attrapa par les épaules et le secoua. Sa tête dodelina d'avant en arrière.

— Non, Max ! S'il te plaît, ne fais pas ça...

— Il est... mort ? demanda Maria.

— Prends-lui le pouls ! ordonna Alex. Il est peut-être inconscient.

Il avait raison, bien sûr. Elle n'entendait plus son horrible respiration sifflante, mais cela ne voulait peut-être rien dire.

Peut-être...

— Allez, Max ! Je t'interdis de partir et de me laisser !

Elle souleva une de ses paupières. Avait-elle vu sa pupille se rétracter ou était-ce une illusion d'optique ?

— Je ne crois pas qu'il...

Elle inspira profondément.

— Je crois qu'il est toujours parmi nous.

— Max, ne t'en va pas ! cria Alex.

— Nous avons besoin de toi, Max ! dit Maria. Tu ne peux pas nous abandonner comme ça…

Liz entendit une voiture freiner, les pneus crissant sur l'asphalte.

Une seconde plus tard, la porte d'entrée s'ouvrit. Personne ne pensa à la refermer.

— Ils sont revenus ! Tu m'entends, Max ? Michael, Isabel et Ray sont là !

Elle vérifia de nouveau ses pupilles. Cette fois, elle ne les vit pas répondre à l'agression de la lumière…

— Je les ai ! cria Isabel en entrant dans la chambre.

— Je… crois que tu arrives trop tard, fit Liz.

Elle posa une main tremblante sur la poitrine de Max. Elle ne sentait pas son cœur battre.

— Essaie quand même, demanda Alex.

Isabel sortit les cristaux de ses poches et les plaça dans les mains de Max, refermant ses doigts autour des pierres.

— Il faut que tu te connectes à la conscience collective, Max !

— S'il te plaît, Max, supplia Liz. Tu ne peux pas mourir maintenant… Pas après m'avoir dit que tu m'aimais.

D'instinct, ils s'étaient approchés du lit de Max. Leur présence était le seul soutien qu'ils avaient à lui offrir.

Maria sentit qu'Isabel lui posait une main sur l'épaule.

— Ne t'inquiète pas. Il va s'en sortir, souffla Maria. Tu as rapporté les cristaux, et il se remettra.

— J'espère que tu as raison… parce que Valenti tient Michael.

Achevé d'imprimer sur les presses de

BUSSIÈRE

GROUPE CPI

à Saint-Amand-Montrond (Cher)
en septembre 2001

FLEUVE NOIR
12, avenue d'Italie
75627 Paris Cedex 13
Tél. : 01-44-16-05-00

— N° d'imp. 15276. —
Dépôt légal : octobre 2001.

Imprimé en France